なるにはBOOKS
156

アプリケーションエンジニアになるには

小杉眞紀　吉田真奈　山田幸彦　著

ぺりかん社

はじめに

みなさんは、「アプリケーションエンジニア」という職業を聞いたことはありますか？「どんな職業？」と聞かれると、すぐには答えられないかもしれません。なんとなくコンピューター関係の仕事というイメージはあっても、実際の仕事内容までは説明が難しいのではないでしょうか。でも、パソコンやスマートフォン（スマホ）に入っている「アプリケーション」（アプリ）は、身近な言葉ですよね。

インターネットが普及《ふきゅう》している現在、総務省《そうむしょう》の令和元年版「通信利用動向調査」によると、スマホなどの「インターネットに接続できる端末《たんまつ》」を持っている13〜49歳《さい》の人は、人口の約80％にも上ります。スマホが登場したのが、２００７年くらいですから、わずか十数年で急速に普及《ふきゅう》しているのがわかります。今やスマホは、私たちの生活の一部です。

これだけスマホなどが普及《ふきゅう》した背景には、便利なアプリがつぎつぎと生み出されてきたことも関係しています。今や電話機能だけでなく、コミュニケーションアプリなどが遊びにも生活にも広く活用されています。インターネットやスマホがさらに普及《ふきゅう》していけば、新しいアプリもどんどん増えていくことでしょう。21世紀中には、今まであった仕事の60％をコンピューターやスマホのアプリがやってくれるようになるといわれています。

アプリケーションエンジニアとは、そうしたパソコンやスマホに必要なアプリを作り出す人たちなのです。まだ生まれて十数年の仕事ですが、今後、ますます必要とされる職業といえます。

この本では、アプリケーションエンジニアのなかでも、スマホのアプリを主に手がけている人たちを中心に取材しました。アプリケーションエンジニアとしての仕事のようすをインタビューし、そのやりがいや苦労を紹介《しょうかい》しています。そして、どのような進路を取ればアプリケーションエンジニアになれるのかにもふれています。

今、手元のスマホを操作しながら「アプリでこんなことができたら楽しいな」と思っている人。ぜひ、アプリケーションエンジニアへの道に挑戦《ちょうせん》してみてはいかがでしょう。

小杉眞紀《こすぎまき》
吉田真奈《よしだまな》
山田幸彦《やまだゆきひこ》

アプリケーションエンジニアになるには　目次

はじめに …… 3

[1章] ドキュメント　サービスアイデアを実現する アプリケーションエンジニア

ドキュメント1　コミュニケーションアプリの新機能に取り組む …… 10
玉木英嗣さん・LINE

ドキュメント2　英語学習アプリの開発にかかわる …… 22
河津裕貴さん・リクルート

ドキュメント3　定額制音楽配信アプリでチームリーダーとして働く …… 34
佐々木 尽さん・AWA

[2章] アプリケーションエンジニアの世界

「アプリケーション」ってなんだろう? …… 48
OSの上で動く／「アプリ」と「ソフト」の違い／「プログラム」がアプリを動かす／OSによって異なるプログラミング言語／コンテンツってなんだろう?

アプリの種類 …… 54
アプリは3種類に分けられる／ネイティブアプリ／ウェブアプリ／ハイブリッドアプリ／スマホ向けアプリ／「課金」のしすぎに注意!／SNSでどんな情報を公開するか／認証されていないアプリは危険なことも……／「歩きスマホ」は気をつけて!

アプリケーションエンジニアってなんだろう？ …… 62
アプリケーションエンジニアという職業の誕生／主な仕事／求められるのは知識と技能、対人スキル／システムエンジニアとの違い

職場と働き方 …… 68
外資系の会社も多い／職場の勤務時間や雇用形態はさまざま／会社の規模は多種多様／エンジニアとしてのキャリアアップ

アプリケーションエンジニアとかかわる人たち …… 74
チームワークでアプリを開発／プロジェクトマネージャー／企画／デザイナー／UIデザイナー／品質管理／宣伝・広報／運営／広告営業

ミニドキュメント1 **ゲームアプリの開発現場から** …… 80
甲斐聖現さん・スクウェア・エニックス

ミニドキュメント2 **画像加工アプリの運用現場から** …… 88
伊藤暖伽さん・SNOW Japan

収入と生活 …… 96
給与／かかわるプロジェクトに合わせた生活／自由度が高いオフィスの環境／プライベートタイムも有効活用／男性と女性の割合

将来性 …… 101
不足しているアプリケーションエンジニア／将来的にも有望な仕事

【3章】

なるにはコース

適性と心構え 106
アプリケーションを作る「プログラム」／どんな人が向いている？／経験の積み重ねが必要不可欠／なんにでも疑問を抱く姿勢が大事／人とのかかわりを恐れずに

資格や道のり 112
専門学校や大学へ進学する／資格は取ったほうがいい？／エンジニアへの道はひとつではない／英語は必須スキル

養成機関について 118
情報系の専門知識を学ぶ／大学の情報学部のカリキュラム／大学で取得できる資格／挑戦してみるとよい試験／情報工学系の志望者の割合／大学院への進学率

ミニドキュメント3 大学で学ぶということ 126
小林亜樹さん・工学院大学情報学部情報通信工学科准教授

就職の実際 132
新規卒業者の就職活動／インターンシップを利用した就職／さまざまな就業スタイル／就職先の裾野は広い

【なるにはフローチャート】アプリケーションエンジニア 137

なるにはブックガイド 138

職業MAP！ 140

※本書に登場する方々の所属などは取材時のものです。

[装幀]図工室　[カバーイラスト]カモ　[本文写真]編集部

「なるにはBOOKS」を手に取ってくれたあなたへ

「働く」って、どういうことでしょうか？

「毎日、会社に行くこと」「お金を稼《かせ》ぐこと」「生活のために我慢《がまん》すること」。

どれも正解です。でも、それだけでしょうか？　「なるにはＢＯＯＫＳ」は、みなさんに「働く」ことの魅力《みりょく》を伝えるために１９７１年から刊行している職業紹介《しょうかい》ガイドブックです。

各巻は３章で構成されています。

［１章］ドキュメント　今、この職業に就いている先輩《せんぱい》が登場して、仕事にかける熱意や誇《ほこ》り、苦労したこと、楽しかったこと、自分の成長につながったエピソードなどを本音で語ります。

［２章］仕事の世界　職業の成り立ちや社会での役割、必要な資格や技術、将来性などを紹介《しょうかい》します。

［３章］なるにはコース　なり方を具体的に解説します。適性や心構え、資格の取り方、進学先などを参考に、これからの自分の進路と照らし合わせてみてください。

この本を読み終わった時、あなたのこの職業へのイメージが変わっているかもしれません。

「やる気が湧《わ》いてきた」「自分には無理そうだ」「ほかの仕事についても調べてみよう」。

どの道を選ぶのも、あなたしだいです。「なるにはＢＯＯＫＳ」が、あなたの将来を照らす水先案内になることを祈っています。

1章

ドキュメント

サービスアイデアを実現する アプリケーションエンジニア

ドキュメント 1

コミュニケーションアプリの新機能に取り組む

すべての世代が楽しく使えるアプリをめざす

LINE《ライン》
玉木《たまき》英《ひで》嗣《つぐ》さん

玉木さんの歩んだ道のり

小学校6年生で、プログラミングの楽しさに目覚めた玉木さん。高校ではソフトウエア関連のイベントにも参加します。大学はアプリの基礎《きそ》を学ぼうと情報工学系に進学。2018年にコミュニケーションアプリ「LINE」を運営する会社に就職しました。現在は、LINEのチャット部分に新しい機能を追加するチームで、エンジニアとして活躍《かつやく》しています。

プログラミングの楽しさを知った学生時代

プログラミングに興味をもったのは小学校6年生のころ。しだいに自分でコード（プログラムをコンピューターに実行させるための文書）を書くようになりました。中学校2年生のころまでは、コードを書いて習った英単語を見られるようなアプリを作ったりすることを趣味《しゅみ》として楽しんでいましたが、これを仕事にしようとまでは考えていませんでした。

高校生になったあとも一人でプログラムを作って楽しんでいたのですが、そのころになるとまわりにエンジニアをめざす友人もできて、いっしょに「ハッカソン」と呼ばれるイベントに参加したりもしました。

「ハッカソン」とは、「ハック（Hack コンピューターのハードやソフトウエアに精通した人たちが、実用的なソフトを作ること）」と「マラソン」を組み合わせた造語です。数日から数週間の決められた期間内でプログラミングをしてアプリなどを作成し、その成果を競うイベントのことをいいます。一人でアプリを作って、Twitterなどで周知するのも楽しいのですが、自分と同じようにプログラムやアプリ作りに興味をもっている友だちとの共同作業はとてもおもしろく、刺激《しげき》のある日々でした。そのころから、4年制大学の情報工学系の学部に入って、エンジニアになりたいと考えるようになりました。もっとプログラミングの原理など、基礎的《きそてき》なことを学びたいという思いがあったのです。

大学に入ると僕《ぼく》のまわりにはエンジニアをめざす人がさらに増え、そうした人たちからの刺激《しげき》もあって、いっそうアプリ作りにのめり込《こ》んでいきました。大学生の時は、とにかくパソコンの前に座っている時間が長かったですね。それが楽しかったのです。

一方で、ヨット部に入って週に2〜3回は海に出るということもしていたので、のびのびと楽しみながら学生時代を送っていました。

「ＬＩＮＥ」のチャット部分を作る

プログラミングの楽しさにはまっていたので、卒業後はアプリケーションエンジニアとして働きたいと思っていました。僕《ぼく》のいた学部では、ＩＴ系が今勢いがあるからと入学してきた人もいたので、多分卒業生の半分くらいはＩＴ関連企業《きぎょう》の営業職などに就いています。僕《ぼく》のようにはじめからアプリケーションエンジニアを志望してその職に就いた人は、それほど多くはありませんでした。

ＬＩＮＥに就職すると、コミュニケーションアプリ「ＬＩＮＥ」のAndroid OS（アプリを動かすための土台となるGoogle社のソフト）向けのチャット部分を作るエンジニアチームに配属されました。会社では、Android OSとiOS（アプリを動かすための土台となるApple社のソフト）とでチームが分かれています。

入社前にどちらかのＯＳでプログラミングをしていた人の場合は、慣れているＯＳのチームに入ることが多いようです。いきなり今まで触《さわ》ったことのないＯＳを任せられると、効率よく仕事ができるようになるまでに時間がかかるので。僕《ぼく》の場合も、学生時代はAndroid OS向けのプログラムを書いていました。

チームの仕事は、主にＬＩＮＥのチャット

部分を作ることです。チャットとは、メッセージやスタンプを送ることができる機能のことです。チームでは、新しい機能の開発や今後のための下地作りなどを行っています。

ＬＩＮＥでは、たとえば季節によって、背景に桜の花びらが散ったり雪が舞《ま》ったり、クリスマスの時季に「クリスマス」と入力すると、クリスマスの飾《かざ》りが出て来たりします。それを、エフェクト（音声や画像の効果）といいます。チームではエフェクトを実際にどういうふうに作って行くかを考え、そのためにはどんな仕事があるかを見定めて、実際に問題なく動くかどうかを検証していきます。

オリンピックなど、エフェクトに反映したほうがいいと思われる世界的な行事がある時や、季節の切り替《か》わりの時などには、いつもより少し忙《いそが》しくなります。とはいっても、年

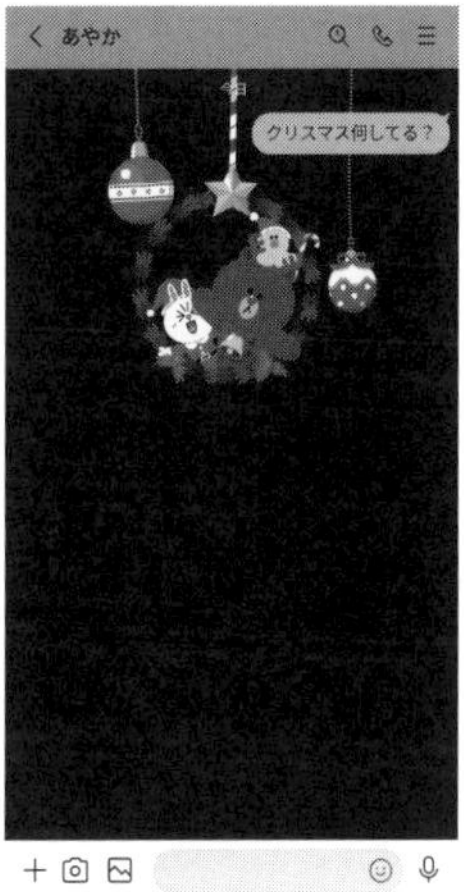

（左）クリスマス仕様のエフェクト　（右）「お母さん」「ありがとう」を含んだメッセージを送受信すると登場する「母の日」エフェクト
取材先提供

間の見通しをもって仕事をしているので、忙《いそが》しいのはアップデート前の数日間のみですが。

新しい機能を追加するには

ＬＩＮＥは、僕《ぼく》が入社するだいぶ前からあるアプリです。そのアプリにエフェクトを足していくことには、いろいろな苦労があります。新しいプログラムが前のプログラムに干《かん》渉《しょう》してアプリそのものが動かなくなってしまう、なんてことが起こったら大ごとですから、常に検証しながら作業を進めていきます。

また、機能をつけ足していくことで、ＬＩＮＥ本体のプログラムは複雑になっていきます。家の中にテレビやパソコンなどさまざまな家電があると、配線がたくさんあってコードがからまってしまうことがあるでしょう。そんな時は、配線をやり直してすっきりさせたいですよね。それと同じようにプログラムもいくつも機能を足していくと複雑になり、俗《ぞく》に言う「スパゲッティコード」という状態になってしまいます。そこで、すっきりさせるために、配線をやり直す、コードを書き直すという作業が必要になってきます。

そうしたことも僕《ぼく》たちの仕事のひとつです。ですから、新しい機能のためのプログラムを書く、その機能が正常に動いてほかの機能に影響《えいきょう》しないかを検証する、古いプログラムと新しいプログラムを融合《ゆうごう》させ、むだなコードを整理していくということを、時間は決まっていませんが、一日の中でやっています。

また、今やＬＩＮＥは中高生からお年寄りの方まで、幅広《はばひろ》い年代の人びとに使われているアプリですので、操作がわかりやすいことも大事な要素です。

たとえば、ＬＩＮＥを使い慣れている僕《ぼく》たちが「こっちのほうがわかりやすい」と思っていても、ふだんアプリにふれていない方にはわかりにくいかもしれません。そのため、使い始めにチェックボックスをオンにしておくかオフにしておくかという細かいところまで、どちらのほうが使いやすいかを考えながら制作しています。

　全世代で使ってもらうには、どのボタンを操作するかや、文字の大きさなどもとても重要な部分だと思っています。これがいわゆるＵＩ（ユーザーインターフェース。ユーザーとコンピューターとが情報をやりとりするさいに接する、機器やソフトウエアの操作画面や操作方法などの使い勝手）です。

　目に見える部分なのでユーザーの反響《はんきょう》も大きく、「使いやすい！」という声が大きけ

「こまかな機能設定もていねいに制作していきます」と玉木さん　取材先提供

複数のモニターを使って作業　　取材先提供

れば、とてもうれしくやりがいがあります。反対に、「この機能はいらない」という声が多い場合も、どうして受け入れられにくいのかを考える契機《けいき》になるので、ありがたいと思っています。

また、プランナーの仕様書通りに作ってみても、実際に操作した時にこの動作はおかしいと思ったら、エンジニアとしての意見を言っていくようにしています。

コミュニケーションが大切

一日の仕事の中では、日に1回は2時間ほどのミーティングがあります。それぞれの担当者の仕事の進捗《しんちょく》具合、全体的な見通しを知るためにとても大事です。たとえば、Android OSチームとiOSチームは足並《あしな》みをそろえなければいけないので、綿密な打ち合わせが必要です。

　また、担当者それぞれが頭の中で考えているエフェクトなどのイメージはさまざまです。それを最初に共有しないと、できあがった時に「これは違《ちが》う」ということが起こってしまいます。あと2日でリリース（発表や公開）しなければいけないのに、デザイナーのイメージと全然違《ちが》うからやり直し、などということがあったら大変です。そのため、きちんとコミュニケーションを取り合うことがとても大切なのです。ミーティングの時などはしっかりメモをとって、あとからイメージの食い違《ちが》いが出ないように注意をしています。

　さらに、プログラムのコードの書き方もエンジニアによって個性が出ます。ある程度は許容できても、あまり違《ちが》うとわかりづらくなります。何十人ものエンジニアがＬＩＮＥと

ＬＩＮＥ本社。ミーティングルームやカフェなども併設　取材先提供

「エンジニア誰もが読んでわかるコードを書くよう心がけています」

いうひとつのアプリにかかわるので、この書き方は見にくくなるからだめとか、こう書くとコードが短くなるけれど読みにくくなるからしないなど、チーム内で「コーディングコンベンション」と呼ばれるルールを作って共有しています。

大切な最《さい》先《せん》端《たん》の情報収集

常に最新のプログラミングやアプリの情報を得ておくことも、アプリケーションエンジニアとして大事なことです。たとえば、さまざまなところで行われるカンファレンス（規《き》模《ぼ》の大きい会議。意見交《こう》換《かん》会）に出席して意見を交《こう》換《かん》するだけでなく、今はＳＮＳ（ソーシャルネットワーキングサービス）でも交流ができます。そうしたところに新製品などの情報が上がるので、拾い上げて検証し、よいところは取り入れていきます。

情報工学は日々進歩しています。油断しているとすぐに知識が古くなってしまいますから、情報に敏感《びんかん》でいることがとても大切だと思います。

学生時代にやっておきたいこと

エンジニアに向いているのは、まず、パソコンの前に座っていることが苦にならない人、そしてコードをどう組み立てたらよいかなどを考えることが好きな人だと思います。

入社して3年目の今、学生時代にもっと勉強しておけばよかったと思うのは英語です。コンピューターの世界の基本言語は英語で、そもそもコード自体が英語です。

LINEだと韓国《かんこく》やベトナムのチームとやりとりをすることがありますが、その時も共通言語として英語を使います。先に述べた最《さい》先端《せんたん》の情報も英語圏《けん》からの情報が多いのです。英語で会話することや読めることだけではなく、書くことも必要になってきます。

また、アメリカでカンファレンスなどが行われる時はすべて英語なので、スライドを見ながらがんばって聞き取ってメモをするということも多くあります。海外の情報などは翻《ほん》訳《やく》や字幕つきのものもすぐに出てくるのですが、翻訳《ほんやく》する人が重要でないと思ったことは省略されてしまうこともあります。ですから、やはり元の情報に当たって自分で読めるに越《こ》したことはありません。英語は今も勉強中です。

加えて、情報工学は基礎《きそ》に数学があるので、数学など理工系で必要な授業はしっかり勉強しておいたほうがよいでしょう。

僕《ぼく》は学生時代からプログラミングをしていました。エンジニアになってからその時の知識が役に立つことも多いので、遊び感覚でプログラミングを始めてみるのもいいかもしれません。

同期入社の人のなかでは、情報工学系の大学出身の人が多く、そのほかにはウェブサービスを作っていたなど、プログラミング系の仕事をしていた人が多くいます。商学部出身という人もいますが、数は少ないですね。もし、アプリケーションエンジニアをめざしたいのであれば、情報工学系の学部を選ぶのが、いちばんアプリやプログラミングの知識を得やすいのではないでしょうか。

仕事って、生活の糧《かて》を得るために大切なことですが、可能であれば自分の好きなことを仕事にできるといちばん幸せだと思います。

「海外チームとも協力して働きます」

もし、アプリケーションエンジニアになりたい気持ちがあるのなら、簡単でもいいのでプログラミングをしてみて、それが楽しいと思えることが第一歩ではないでしょうか。まずは、その一歩を踏《ふ》み出してみることが大事です。

これから挑戦《ちょうせん》したいこと

入社したころはチームの開発マネージャーとやりとりをすることが多かったのですが、入社から3年経った今は、デザイナーやプランナー、いろいろな機種を使ってアプリのテストをする人などともやりとりをするようになってきました。

これからは今の仕事の幅《はば》を広げつつ、プログラミングやエンジニアという仕事の楽しさ、自社製品や製品を開発するおもしろさのようなことを、いろいろな人に伝える広報のような仕事もできたらうれしいなと思っています。

ドキュメント 2 英語学習アプリの開発にかかわる

ストレスなく勉強ができるアプリを作りたい

リクルート 河《かわ》津《ず》裕《ひろ》貴《たか》さん

取材先提供（以下同）

河津さんの歩んだ道のり

情報工学系の大学院でデータ分析《ぶんせき》を行い、在学中のアルバイトをきっかけにプログラミングのおもしろさに目覚めた河津さん。しだいに、もの作りの世界に引き込《こ》まれ、エンジニアへの道を歩み出します。リクルート入社3年目の現在では英語を学べるアプリ作りにたずさわり、開発チームの中でその力を発揮しています。

大学時代からエンジニアの道へ

僕《ぼく》は、最初からエンジニアを志望していたわけではありません。大学院時代の研究分野は、データ分析《ぶんせき》です。たとえば、Twitter などのデータを入手して、今どういうツイートが多いのか、災害の時にはどのような有益な情報が広まっていたのか、逆に、どんなうその情報が広まっていたのかなどの分析《ぶんせき》を行う研究室に所属していました。

ですから、プログラミングに関しては、触《さわ》ったことがあるくらいだったんです。そんな時、「パソコンができるなら、アプリも作れるでしょう」と、ウェブサービスやアプリを作っている会社から、プログラミングをするアルバイトを紹介《しょうかい》されました。それが、今の仕事を始めたきっかけになりました。

アプリ開発の経験はなかったのですが、いざふれてみると、自分が書いたプログラムがその場で動くのがとても楽しくて。もの作りのおもしろさを知り、没頭《ぼっとう》していきました。

僕《ぼく》の場合、アルバイトをしながら並行《へいこう》してプログラミングの勉強をしていたというよりは、差《さ》し迫《せま》った作業のおかげで技術が身についていったという形です。とにかく早くアプリを作り上げなければならない環境《かんきょう》だったので。あのころの環境《かんきょう》は大変でもありましたが、得た物は大きかったと思います。

エンジニアの仕事

現在は、プロダクト開発をする部署のなかの、Android アプリを開発するチームで働いています。チームには、仕様を考える人や、デザインを作るデザイナー、デザイナーのデザインを実際にアプリやインターネット上で見られる形にプログラミングするエンジニア、仕事の進捗《しんちょく》管理を行うディレクターなどがいます。

僕《ぼく》はそのなかで、プログラミングを行うエンジニアとして働いています。主にGoogle社が作るAndroid OSで動かすアプリにたずさわっているので、「Android エンジニア」という肩書になります。

現在、僕《ぼく》は英語の勉強を行うためのアプリ開発にかかわっています。TOEIC®試験と同じ問題を個人で勉強できたり、学校に導入して英語の勉強に役立ててもらっています。

TOEIC®試験のアプリは、選択《せんたく》形式の問題をユーザーがこなしていく機能や、読み上げた英語を文字に書き取る「ディクテーション」を行える機能などがあります。

学校に導入されているアプリでは、最近、先生が生徒に宿題を配信することができる機能を追加しました。

スマホに慣れ親しんだ今の学生ならば、アプリでの勉強は親しみやすく、操作もしやすいでしょう。自分の勉強した時間や正解率のデータを保存しておけるので、簡単にふり返りができます。自分が間違《まちが》えた問題をあとで復習することができるのも、アプリで勉強を行うことの長所です。

テレワーク中心の生活

現在、営業日は自宅でテレワークです。午前10時ごろから仕事を開始し、仕事が終わるのは19時ごろ。その間にエンジニアリングの仕事を行う、というのが一日の流れになっています。

チャットなどで同僚とも定期的に意見交換

アプリの更新《こうしん》などは一週間や一カ月ごとという短い期間で定期的に行っているため、新しい機能を入れるたびに忙《いそが》しい時期がやってくる、ということはありません。ただ、学校への提供も行っているため、「新学期が始まる4月までにこの機能を間に合わせたい！」という状況《じょうきょう》はときどきあり、そこが繁忙期《はんぼうき》といえるかもしれません。ただ、それもたまにあるくらいで、一年を通して4月を意識しているわけではないですね。

パソコンとインターネットがあれば作業できるので、テレワークに向いている仕事だと思います。パソコンは会社から支給されているので、ほかにあるとよいのは腰《こし》を痛めない座り心地のよい椅子《いす》でしょうか。もともと週に2、3日は在宅で作業していたため、2020年からの在宅メインの環境《かんきょう》にも、すぐ慣れることができました。

ほかの職種の人たちとの打ち合わせは、チャットツールを使用しています。もともと仕事仲間とは、社内では席も近くて、毎日気軽に口頭で相談していた間柄《あいだがら》。認識も共有できていました。文字のみのやりとりでも、不自由はありません。チャットは便利ですが、知りたいことだけを書くと、冷たく意見だけを伝えているように見えてしまいます。柔らかい言葉遣《づか》いに直したり、絵文字や顔文字をつけるなど、ちょっとした工夫も大事です。

ほかの職種の人と話す時は、本音で語ることを大切にしています。エンジニアはプログラムをする専門職で、デザイナーはデザインの専門職。デザイナーの要望の中には、デザイナーにしかわからない深い意図やこだわりが込《こ》められているんです。だから、デザイナーの人が出したデザインの要望に関して、技術的に難しいことがあっても、よく考えずに「これは大変なので、できません」と答えることはしません。相手がどんなことを意図しているかは常に気にしていますし、こちらも本音を伝えます。相手の意図をしっかりと知りたい時は、文字でのやりとりではなく直に会話をします。また、毎日10分ほど、ボイスチャットツールで集まって仕事の進捗《しんちょく》状況《じょうきょう》などを話す機会をつくっています。

アイデアをいかに実現するか

英語学習のアプリを作る時は、先程お話しした、「ディクテーション」などをアプリ上で行えるようにするのですが、それをどう実現するかは、いつも悩《なや》むところです。

ディクテーションでは、画面にキーボード

を表示して、あたかもパソコンのキーボードを叩《たた》いているかのような感覚で文字を入力できるなどの工夫をしています。

加えて、勉強自体が高校生にとってはやりたくないものだったりするので、少しでも勉強をやりやすいようにする、ストレスがかからないようにする。この二つは意識しています。

たとえば、画面上のユーザーインターフェースのデザインでは難しい印象を与《あた》えず、ストレスなく操作ができるようにしています。

また、単語の勉強では、単語が表示され、その単語の意味に合った日本語《にほんご》を淡々《たんたん》と選んでいく、という機能があります。ここでは、つぎの問題への移動時間をできるだけ短くできるようにするなど、ストレスを軽減するこだわりがあります。

（左）スタディサプリ ENGLISH － TOEIC® L&R TEST 対策コース Android アプリのホーム画面。目標学習時間の設定や実際の学習時間が一目瞭然
（右）英語音声の書き取り画面では独自のキーボードを設定した

また、「TOEIC®のパート7の勉強をするアプリなどでは、長文の問題文を読み、正しい選択肢《せんたくし》をアプリ上で選んでいく形式になっています。それを小さなスマホ画面で行う場合は、画面内に何をどう配置すればユーザーにとって見やすいものになるかを、チームで考える必要があるんです。

その結果、長文を全画面に表示して、選択《せんたく》肢《し》は出したい時に下や横からスライドできるようにするといった機能を備えることになりました。アイデアを考え、それを実現するのは、うまくいけば楽しいですが、そこに至るまでにはいつも難しい道のりがあります。

内容以外の難しさとしては、スマホに入っているOSの古いバージョンに、いつまでアプリを対応させるかという問題があります。

2020年9月にAndroid OSの新しいバージョン「Android 11」が発表されたように、スマホに入っているOSは、Androidも、Apple社のiOSも進化を続けています。

そうした新しいバージョンに、僕《ぼく》たちが作るアプリをインストールできるようにすることも大切ですが、新しいOSに対応させるためには、古いバージョンのサポートをどうしても終了《しゅうりょう》しなければならない場面が出てきます。ですが、アプリを使用するユーザーのなかには、学校で提供された古い端末《たんまつ》を使っている方もいるので、簡単に非対応にすることはできないんです。

現実的にどこかで線引きをしないといけないのですが、対応機種を切り替《か》えていくタイミングは、新学期の4月に合わせなくてはならないなど、調整の大変さがありますね。

もちろん、それらの頭を悩《なや》ませる作業の中

技術に関する情報収集

で、やりがいを感じる瞬間《しゅんかん》もあります。年に何回か、会社の人事が、僕《ぼく》たちの作るアプリを使用したユーザーの声をビデオにまとめたものを見せてくれるのですが、生の声を知ることができる貴重な瞬間《しゅんかん》です。

そんな中で、学生なら「志望校に合格した」、社会人なら「TOEIC®のスコアが上がり、仕事でのスキルアップにつながった」など、ユーザーが僕《ぼく》らのアプリを役立ててくれたという声を聞くと、とてもモチベーションが上がります。

さらに、僕《ぼく》らはＩＴ業界で働くエンジニアですが、平均年齢《ねんれい》が低いので、僕《ぼく》のような若い人間でも責任のある立場に就いて仕事をすることができます。先程話したようなアプリの細かいこだわりを自分で考え、それを実際に反映していけるのは、やりがいを感じる部分です。

情報収集が大切な仕事

この仕事では、新しい技術に対する情報収集がとても大切だと考えています。僕《ぼく》自身が心がけていることのひとつに、自分たちの作っているものと同じような、他社の英語を勉強できるアプリをインストールして使ってみる、ということがあります。

また、Android エンジニアの団体が開く勉強会に出席し、同業他社のエンジニアと語り合って意見交換《こうかん》などもしています。

さらに、アプリケーションを動かすＯＳは、Androidならば Google 社、iOS は Apple 社と、それぞれアメリカの会社が作っているため、基本的には外国のサイトの最新情報の通知を受け取れる環境《かんきょう》にしています。

先程のバージョンの問題ともつながりますが、Apple 社などはサプライズ的に新しいiOS や新製品を発表するスタイルを好んでいます。２０２０年9月に登場した iOS 14などは、ユーザーだけでなく、アプリ開発にたずさわる僕《ぼく》らも世に出る2、３日前に詳細を知り、急いで対応することとなりました。ときにそういったこともあるので、Google や Apple のサイトが更新《こうしん》された時のチェックは、必須項目《ひっすこうもく》として常に行っています。

進化のスピードが速い業界なので、最新の技術を追いかけていくのはおもしろいところでもありますし、逆に、そこをおもしろく感じられないと生き残るのがつらい職業といえるかもしれません。

他部署の担当者とのミーティング

技術、そしてコミュニケーションも大切

プログラミングの分野では、効率よくパソコンやスマホに計算をさせる手順「アルゴリズム」を上手に組めるかどうかが大切です。エンジニアに向いているのは、計算式を解いたり組んだりする数学が得意な人、とよくいわれます。ほかに、パソコンを組み立てることが好きな人も向いていると思います。プログラムを動かすパソコンやスマホはCPU(中央演算処理装置《そうち》。プログラムの実行などを行い、パソコンやスマホの脳にも例えられる)などの部品からできているので、パソコンが好きな人ならば、どのようにCPUに仕事をさせるプログラムにするか……など、知識が活かせる場面がたくさんあります。

僕《ぼく》個人としては、知識や技術はもちろん必

要なのですが、コミュニケーション能力も大切だと感じています。エンジニアは必ずチームで働くので、相手に意見を正しく伝える能力が求められるシーンが多いのです。

僕《ぼく》は大学生の時のアルバイトで急にプログラミングにふれ始めたのですが、エンジニアのなかには中学生のころからプログラミングが好きで、自分流でやっているうちにエンジニアをめざすようになった、という人が多いんです。プログラムは必ずしも誰《だれ》かに教えてもらう必要はないし、インターネットに情報がいくらでもある今の時代、すぐに勉強ができる分野です。

もちろん学校などで得られる知識も多いですが、興味がある方は、「プログラム やり方」などでインターネット検索《けんさく》し、まずは自分で始めるのがよいかもしれません。

「さらに知識と技術を身につけ、スキルアップしていきたいです」

今、僕《ぼく》は Android 上で動くアプリを中心に手がけていて、iOS のアプリを作る能力はあまり高くありません。アプリケーションエンジニアとひと口に言っても、Android、iOS、アプリが通信するサーバーなど、かかわる領域がたくさんあるので、Android、iOS、そしてパソコン上で動くアプリ、サーバー……それらすべてに対する知識と技術をもち、一人でアプリを世に出していけるようになれればいいな、と考えています。そこまでいかずとも、さまざまな知識に精通していると、会社内の大きなプロダクトで全体を俯《ふ》瞰《かん》することができるようになると思うので、いつかそれだけのスキルをもつエンジニアになりたいですね。

ドキュメント 3 定額制音楽配信アプリでチームリーダーとして働く

さまざまな音楽をいつでも気持ちよく聞けるアプリを

AWA《アワ》 佐々木《ささき》 尽《じん》さん

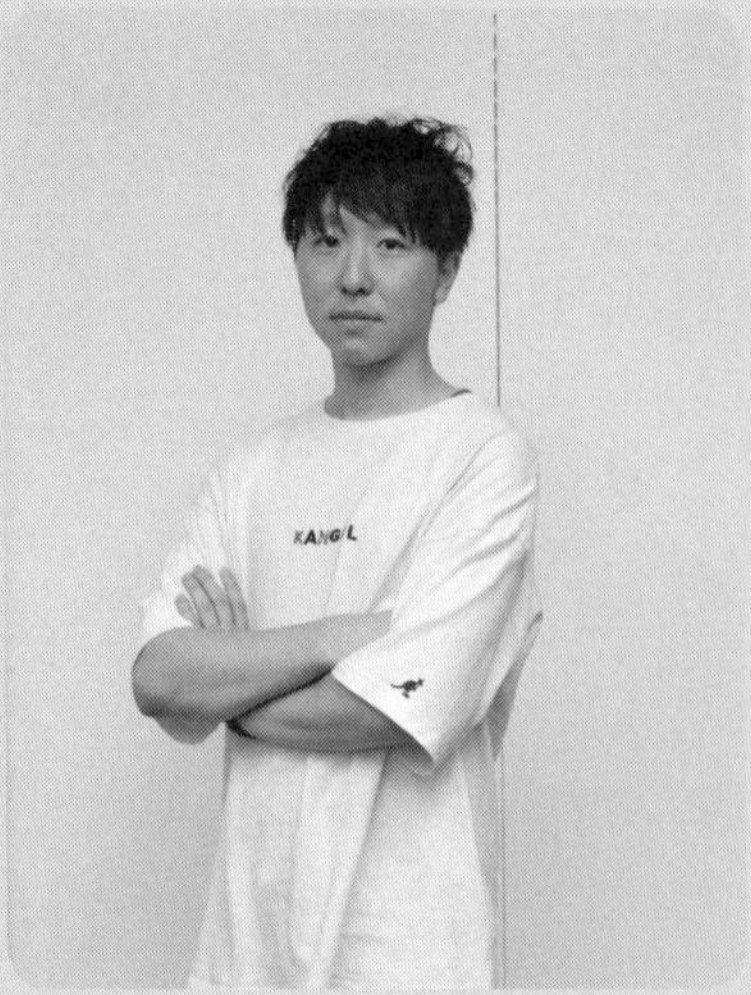

取材先提供（以下同）

佐々木さんの歩んだ道のり

子どものころから慣れ親しんできたパソコンと、趣味《しゅみ》の音楽を仕事にしたい――そんな佐々木さんが就職したのが、定額制音楽ストリーミングサービスを運営するAWAです。事業立ち上げのスタートアップ時からたずさわり、アプリそのものの開発にかかわります。入社6年目の現在は、プロダクトグループ iOSチームのリーダーとして幅広《はばひろ》く活躍《かつやく》しています。

インターンシップから就職へ

父がネットワーク関係の仕事をしていたので、子どものころからお下がりのパソコンをもらってお絵かきをするなど、パソコンに親しんでいました。それに加えて理系の勉強がわりと好きだったので、情報工学系の大学に進学しようと決めていました。同じころ、高校の友だちでプログラミングをしている人たちがいて、その人たちが表計算ソフトの「エクセル」でパズルゲームの「テトリス」を作ったと聞きました。実際に見せてもらうと、エクセル上でちゃんと操作して遊べる「テトリス」ができていて、びっくりするとともにプログラミングのおもしろさを感じ、情報工学系の学部に入ったらしっかりプログラムを学ぼうと考えました。

希望通り情報工学系の学部に受かったあとは、インターネットの広告事業などをしているサイバーエージェントという会社でインターンシップを経験しました。

インターンシップとは、大学生が授業のない日に会社に出勤し、社会人といっしょに仕事をする職業体験のことです。企業《きぎょう》の実情や業界の知識などを吸収することができる制度で、就職活動に活かせることなどから大学でも推奨《すいしょう》するところが多くなっています。企《き》業《ぎょう》にとってもほんとうに必要な人材を見極められるという利点などもあり、インターンシップを導入する会社は多くなっています。いろいろなインターンシップの種類があるので、興味のある人は調べてみるといいかもしれません。

僕《ぼく》もインターンシップでサイバーエージェ

ントにお世話になり、課題で賞をとったことをきっかけに入社することになりました。

ＡＷＡは、サイバーエージェントと、デジタルコンテンツの企画《きかく》から配信までを行うエイベックス・デジタルが合同で立ち上げた会社です。ですので、社員は両方の会社の人が出向している形になっています。

入社した時に、どんな仕事をしたいかを人事の人が聞いてくれました。

当時はまだＡＷＡが立ち上がったばかりで、音楽配信を始める直前でしたが、音楽配信の仕事をしたいと言い続けていたら、実際に配属してもらうことができました。もちろん、会社がその人の適性を見てくれるということもありますが、自分の希望を聞いて反映させてくれたのはうれしかったです。

実は学生時代にドラムをやっていて、プログラミングと同時に音楽にも興味があったのです。好きなプログラミングと音楽の両方が仕事になっているので、趣味《しゅみ》と仕事の境目がなくなってしまった感じはありますが。

ＡＷＡは、どんな会社？

ＡＷＡは、定額制音楽ストリーミングサービス「ＡＷＡ」を運営する会社です。２０２１年現在で８０００万曲以上の楽曲が、月額１０００円以下で聞き放題になるアプリです。中学生以上の学生なら、学割で半額になるシステムを取り入れています。老若男女を問わず幅広《はばひろ》い世代の人たちが利用し、利用者数は現在も増え続けているところです。

音楽ストリーミングサービスというのは、ただ音楽を流せばいいというものではありません。ここでのアプリケーションエンジニア

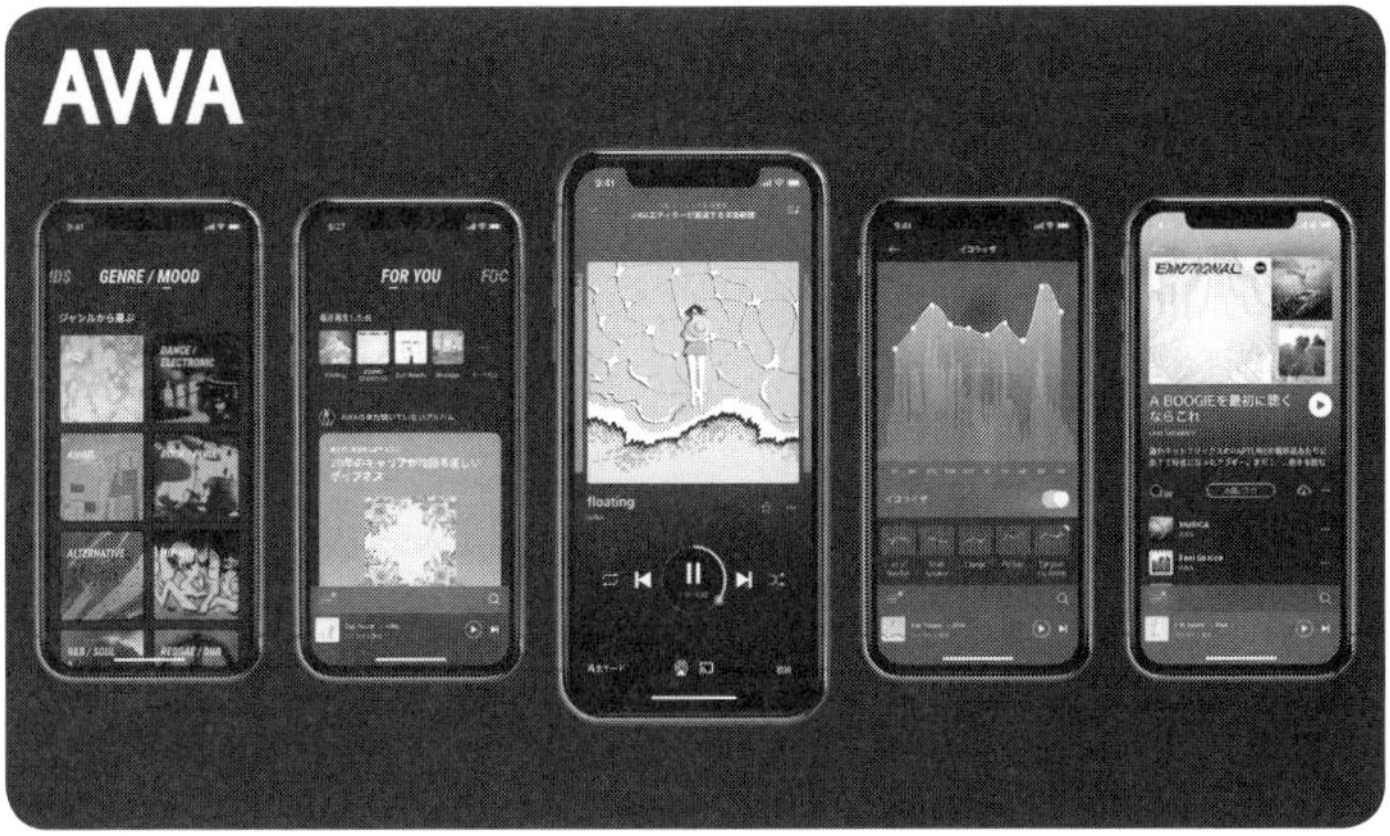

「AWA」アプリの画面

の仕事は、スマホなどで音楽を配信するためのアプリそのものの開発です。それには、ユーザーが使いやすいデザインとは何か、手軽に利用できるようにするにはどうすればよいかなどを考えなくてはなりませんので、デザイナーやAndroidチームと打ち合わせを重ねながらプログラムを作っていきます。

また、ユーザーが選んだ曲の識別やアーティストの名前、読みがな、曲のテンポなど、さまざまなことを管理していかなければなりません。アプリを制作する部署のほか、そうした管理をする部署も必要で、大勢の人がAWAというひとつのアプリを運営しています。

アプリケーションエンジニアの8割は男性ですが、これは情報工学やプログラミングに興味をもつ人に男性が多いからかもしれません。出身大学の情報工学系の学部も女性が2

割くらいでした。僕《ぼく》の会社には、「女性活躍《かつやく》促進《そくしん》制度」というのがあって、さまざまな支《し》援《えん》制度が設けられています。働き方に配慮《はいりょ》してくれる会社ですから、産休・育休後に復帰する人も90％と高い割合です。今後は、もっと女性が増えてくるかもしれません。

アプリケーションエンジニアになって

入社して最初の仕事は、アプリの中でよく「・・・」（アプリの設定メニューを開くボタン）と表示されるメニューを作ることでした。アプリ開始直後は、そのメニューボタンがなかったのです。

エンジニアの業界では、書いたプログラムを、ほかの人に確認してもらえる「プルリクエスト」という仕組みがあります。そこに初仕事であるメニューのプログラムをアップしたのですが、「全然だめだね」という指摘《してき》を受けるなど、散々でした。音楽に関しても、プログラミングに関しても自分よりずっとくわしい人がいて、自分の実力について「まだまだだな」と思い知りました。

今は、28歳《さい》でiOSのリーダーをしています。数年前、ＡＷＡのプログラムを一新した時、プログラム設計の中心として仕事に取り組み、その後リーダーになりました。よくも悪くも年功序列というものがないので、がんばればがんばるほど、責任のある仕事を任せてもらえます。

半面、業界の流れが速いので、50歳《さい》になった時、自分がどんな立場で仕事をしているか予測がつかないところがあって、少し不安もありますが、楽しみにも思っています。

エンジニアの過ごし方

会社は午前10時に始業です。まず、メールやSNSで情報をチェックします。その後、午前中はプログラミングをする時間にあてることが多いです。同時に、ユーザーからの問い合わせのうち、エンジニアからの情報が必要な内容についての対応をします。

午後は、2～3時間会議がある日もありますが、そうでない日はひたすらプログラミングをする日々です。残業がなければ、終業は午後7時。終業後に予定がなければ、家で趣味《しゅ》《み》のプログラムを書いたり、勉強をしたりして過ごします。

福岡《ふくおか》にも支社があるので、わざわざ東京《とうきょう》に来てもらうことなく、ふだんからリモートで会議をしています。パソコンがあれば家で

社内での打ち合わせ。きさくにいろいろな意見が飛び交う

もできる仕事なので、もともと週に2日くらい会社に出て、残りの日は自宅でというように自由な働き方ができる会社です。

年間でいうと、年に4～5回大きなリリースがあるので、それに向けてスケジュールを組んでいきます。たとえば、新しいiOSが発表されてホーム画面が変わるなどということがあれば、アプリもそれに合わせて変えていかなければなりません。

常に、新しいiOSの機能にどういうふうにアプリを対応させていくかを考え、プログラミングしていきます。ときに、Apple社はiOSを突然《とつぜん》リリースすることがあるので、そうした時はなるべく早く対応できるよう、忙《いそが》しくなることもあります。

音楽配信の楽しさと難しさ

音楽を配信するのが仕事ですから、仕事をしながら音楽を聞くのはあたりまえになっています。音楽が趣味《しゅみ》の自分にとって、曲の音を調整したりするのも楽しい仕事です。とはいえ、耳のいい人が聞くと一瞬《いっしゅん》音が空いてしまっているように聞こえる、古いスマホだと音程がおかしくなるなどの不具合を、どの端末《たんまつ》で聞いても一定の水準にそろえてユーザーに提供するのは難しいことです。古いものから新しいものまでスマホは３００種類以上もあって、それを20人ほどのチームで原因を特定して改善するのはなかなか大変です。

また、顧客《こきゃく》がいてそのニーズに合わせてシステムを設計し、納期までに完成させるＳＥ（システムエンジニア）の仕事と、アプリケーションエンジニアの仕事は少し異なります。僕《ぼく》の会社ではアプリケーションエンジニアは、ユーザーに今度はどんなものを提供しようかというところから考えて、納期も自分たちで考えます。会社には、質の高いものを出すというポリシーがあるし、仕事をしているわれわれも「できるだけよいものをユーザーに提供したい！」という思いがあるので、気がつくと朝になっているということもあります。残業をしろと言われるわけではないのですが、楽しくてついつい仕事をしてしまうのです。美しいコードが書けるとうれしくて、思わず声が出てしまうこともあるくらいです。これが、もの作りの醍醐味《だいごみ》だと思います。

　そうやってがんばって作った作品を配信してユーザーの反応がよいと、うれしさとともに達成感を感じます。

（左）音楽再生画面　（右）聞く人に合わせて提案する「プレイリスト」画面

自分がApple Watch上で使えるアプリが欲しいと思って企画《きかく》・制作した時は、制作期間が２カ月という短い時間しかなかったのですが、発表した途端《とたん》ユーザーから「待ってました！」と評価されました。また、歌詞が動く「LYRIC DIVE」という機能を作った時も、今までＡＷＡを使ったことがなかったユーザーから「この機能がおもしろいからインストールした」と言われました。

先日乗ったタクシーの運転手さんから、「いい音楽配信アプリがありますよ」とＡＷＡを教えてもらった時は、ものすごくうれしかったです。

直接ユーザーの声を聞いたり、ＳＮＳを通して評価されたりした時は、ほんとうにやりがいを感じますし、これからもがんばっていこうと思えます。

明日に向かって、努力の日々

今はiOSチームのリーダーをやっていますが、会社が管理や運営において誰《だれ》もが能力を発揮できるように支援《しえん》する立場のマネージャー、アプリ制作の指揮や監督《かんとく》などを含《ふく》めてすべての責任者であるディレクターが欲しいとなった時に、すぐにそれに応じられるようさまざまなスキルをみがいていきたいと思っています。ですから、常にインターネットで情報を収集したり、ほかの会社の人との勉強会に出たり、ほかのエンジニアの書いた本を読んだりと、学び続けるように努力しています。

また、先程述べた「美しいコードを書く」ということにもつながるのですが、美しいコードは、誰《だれ》が見てもわかりやすいコードということでもあるのです。たとえ、急に僕《ぼく》がいなくなってしまっても、コードを見ただけでいつでも誰《だれ》でも理解できるようにしておきたいと思っています。それは、リーダーとしての仕事についても同じで、すぐにほかの人がリーダーの仕事を引き継《つ》ぎ、仕事を進められるように、情報を共有しながら仕事をしていきたいと思います。

また、ＡＷＡのアプリは、まだすべての人が知っているわけではありません。さらにたくさんの人に認知されて使ってもらえるように、さまざまな機能を改善し、少しでも使い勝手のよいアプリになるよう、コツコツと仕事を続けていきたいと考えています。

アプリケーションエンジニアをめざす人へ

僕《ぼく》の会社の例で言うと、アプリケーションエンジニアは情報工学系の大学を出た人が多いように思います。でも、ほかの学部や専門学校出身の人もいます。要はどんな学校や学部を出たかということよりも、プログラムを書くことが好きな人、何かを創造するのが好きな人ということのほうが重要なのかもしれません。こだわって最後までやり抜《ぬ》きたいという強い意志がある人向きの仕事です。

そして、自分が痛感するのは、英語をもっと勉強しておけばよかったということです。今は翻訳《ほんやく》機も性能がよくなってある程度は翻《ほん》訳《やく》ができますが、細かいニュアンスを知りたい時はやはり英語が堪能《たんのう》であるに越《こ》したことはありません。また、音楽のアプリは日本だけで使われるものではないので、海外の講演を聞いたり、海外の人とコミュニケーションをとったりしなければならないことも多くなります。そんな時は、英語でしっかりと会話できるくらい学生時代に勉強しておけばよかったなと感じます。

また、僕《ぼく》は学生時代に「基本情報技術者」と「応用情報技術者」の資格を取りました。会社によって違《ちが》うかもしれませんが、資格をもっているからといって給与《きゅうよ》面などで差が出ることはありません。しかし、勉強したことはむだになっていないので、個人的には資格を取ってよかったと思っています。

そういう資格は取らないまでも、「C言語」や「Java」など歴史のある基礎的《きそてき》なプログラミング言語は勉強しておいたほうがよいかもしれません。今ある言語は、過去の言語の応用であることが多いので、基本を知っているかいないかということは今の言語を理解する上で大きく違《ちが》ってきます。

新しいサービスや機能についてプレゼンテーション

同時に、今使っている言語もすぐ古くなってしまい、1年後には使えなくなる技術というものも多い世界です。常に勉強をし続けることで、今の仕事を続けられるという感覚があります。2倍勉強してやっと前に進めますが、勉強して得た知識に執着《しゅうちゃく》していると、今度はすぐに置いていかれてしまいます。新しい技術への興味はいつでももっていてほしいし、外の情報にアンテナを張り巡《めぐ》らせていることも大事だと思います。

2章

アプリケーションエンジニアの世界

「アプリケーション」ってなんだろう?

コンピューターやスマホのシステム上で動く、便利なアプリ

ＯＳの上で動く

みなさんも「アプリ」や「アプリケーション」という言葉を聞いたことがあるのではないでしょうか。スマートフォン（スマホ）を使っている人は、ゲームアプリなどをインストールしたこともあるでしょう。スマホ内のカメラやカレンダー、電話機能もアプリです。実際に使ったことのある人でも、あらためて「アプリケーションって何?」と聞かれると、言葉に詰《つ》まってしまうかもしれません。

「アプリケーション」は、正式には「アプリケーションソフトウエア」と言います。アプリは、「アプリケーション」をさらに省略した言葉です。

「アプリケーション」を直訳すると、「応用」となります。応用の対となる言葉は、「基《き》

礎《そ》」または「基盤《きばん》」です。「応用」が表すように、「アプリケーション」は基礎《きそ》または基盤《きばん》の上で用いられます。実際のところ、「アプリケーション」は基盤《きばん》となるオペレーティングシステム（Operating System　OS）の上で動きます。スマホのOSで有名なのは、iPhoneで使われている「iOS」や、Androidのスマホで使われている「Android OS」などでしょう。コンピューター上で大きな市場を占《し》めているのは「Windows」です。多くの人がほぼ共通で使うような機能を詰《つ》め込《こ》んだ基盤《きばん》のソフトウエアがOSなのです。

対して、特定の人が特定の用途《ようと》のために使うソフトが、「アプリケーション」です。スマホをはじめて手に入れた時、「ファイルを開く」「ファイルを探す」「何のデータが記録されているかを読み書きさせる」などの機能はOSによって問題なく動くように設定されています。けれど、自分だけが使うためのゲームやソーシャルネットワーキングサービス（SNS）、画像加工などのアプリは、個人個人がスマホを手に入れてから好きなものをインストールするようになっています。

ただし、時代の変遷《へんせん》とともに、こうした機能は特定のOSやアプリに区分されることなく、多くのアプリの機能がOSの中に取り込《こ》まれてきています。そのため、新しい機能そのものを「アプリケーション」と言い換《か》えることもできます。

「アプリ」と「ソフト」の違《ちが》い

アプリの正式名称《めいしょう》は、「アプリケーションソフトウエア」です。その名の通り、「アプリケーション」もソフトウエアの一部です。通常は、ＯＳとその上で動くアプリの両方をソフトウエアと呼びます。ＯＳとアプリのあり方はコンピューターもスマホも同じです。

最近は、スイッチを押《お》すだけで水の量やお米の量を察知し、おいしいご飯を炊く炊飯器《すいはんき》や温度を感知して調節できる機能をもった家電が多く見られます。これらの電化製品の中には「マイコン」と呼ばれる演算処理や制御《せいぎょ》などの機能を発揮する半導体チップが入っています。このチップのメモリーの中に専用のプログラムが入っていて、それぞれの家電が

図表1　アプリとは

動作します。「マイコン」の場合は、ＯＳそのものがそれぞれの家電に特化しているので、アプリとはいいません。コンピューターやスマホのＯＳ上で動くソフトがアプリなのです。

「プログラム」がアプリを動かす

現在では小学校からプログラミング教育が必修となったため、コンピューターに特定のことを処理させるには「プログラム」が必要なことを知っている人は多いでしょう。プログラムを書くことをプログラミングといいます。

学習し、今まで覚えたことから類推し、自分で判断することができるＡＩ（Artificial Intelligence　人工知能）の研究も進んでいますが、基本的には人間がコンピューターに一つひとつの動きを順番に説明する必要があります。コンピューターが読み取れるよう指示するものがプログラムであり、そのために使われる言葉がプログラミング言語です。

今やＯＳや用途《ようと》に合わせたさまざまな種類のプログラミング言語がありますが、もともとコンピューターの発祥《はっしょう》は英語圏《けん》なので、ほとんどのプログラミング言語は英語が基本となっています。

たとえば、ゲームの中で主人公を歩かせるとしましょう。人間相手だったら、「歩いて」と言うだけで意味が通じますが、コンピューターに対しては「足を交互《こうご》に出して、歩幅《ほはば》は……。手は……」と、すべての動きを順番に、プログラミング言語を使って伝えなければなりません。

ゲームを作るためのアプリなどもいろいろあるので、興味をもった人は実際にプログラミングしてみるのもおもしろいかもしれません。

OSによって異なるプログラミング言語

アプリはOSの上で動くというお話をしましたが、アプリはOSごとに制作しなければなりません。つまり、コンピューターでいえば、WindowsとMacでは、OSが違《ちが》います。スマホなら、AndroidやiPhoneでOSが違《ちが》うので、それぞれのOSのためにプログラミング言語を書かねばなりません。また、Android OS、iOSには、それぞれいろいろなプログラミング言語があります。たとえば、同じアプリの開発でもAndroid OSでは「C＋＋」という言語を、iOSでは「objective-C」という言語を使うなどということもあります。従って、同じように見え、同じように動くアプリでも、AndroidとiPhoneでは開発は別工程となり、制作過程においてのすり合わせが大切となります。

さまざまなＯＳごとにアプリが制作される　ＬＩＮＥ提供

コンテンツってなんだろう?

アプリは、「ウェブページを見る」「写真を加工する」「ほかの人とコミュニケーションをとる」といったなんらかの作業をするためのソフトです。この本の中に出てくるＬＩＮＥやＳＮＯＷ、ＡＷＡなどのアプリがそれに当たります。

コンテンツは、アプリを通してできあがった写真や動画などの作品のことです。たとえば、画像加工ソフトはアプリですが、その中で作った画像そのものや、音楽配信アプリの中で配信される曲自体はコンテンツと呼ばれます。

アプリの種類

種類や使い方はいろいろ生活に密着したたくさんのアプリ

アプリは3種類に分けられる

現在では、日々さまざまなスマホ向けアプリが開発・公開され、人びとに使われています。ふだんは何気なく使っているアプリですが、実はその種類や使い方はいろいろです。

まず、スマホ向けアプリは、大きく「ネイティブアプリ」「ウェブアプリ」「ハイブリッドアプリ」の3種類に分けられます。

ネイティブアプリ

ネイティブアプリは、Apple社のiOS端末《たんまつ》ならば「App Store」、Google社のAndroid OS端末《たんまつ》ならば「Google Play」といったストアアプリを経由して端末《たんまつ》にインストールし、使用するアプリのことを指します。スマホのOSにインストールするので、インストール時以外はインターネットにつながなくても、アプリの機能を利用することができる特徴《とくちょう》があります。また、映像や写真を撮影《さつえい》するためのカメラや、スマホを使っている人が今いる場所の位置情報を測定できるGPSなどといった、スマホについている機能をアプリ内で使えることも特徴《とくちょう》です。

ウェブアプリ

ウェブアプリは「Safari」「Google Chrome」などといった、インターネット上のホームページを閲覧《えつらん》できる「ブラウザアプリ」を通して使用することができるものを指します。動画や音楽を配信するサイトを使用している人も多いのではないでしょうか。ほとんどのサービスは、会員登録をしてしまえばパソコン、スマホの両方のブラウザ上で使用することができるため、いつでもどこでも見たり聞いたりすることができます。

たとえば、動画や音楽を家や外出先で楽しめるサイトや、メールの送受信などは、ネイティブアプリとウェブアプリ、両方の形式で利用できるものが多くあります。スマホにインストールをせずに使えるため、ネイティブアプリ以上に手軽なのがウェブアプリの特徴《とくちょう》ですが、カメラなど、スマホについている機能を使うことはできません。また、インターネットに接続して使用するため、一度インストールしてしまえばどこでも使えるネイティブアプリとは違《ちが》い、電波の悪い場所などでは、読み込《こ》みに時間がかかることもあります。

ハイブリッドアプリ

ネイティブアプリとウェブアプリの特徴《とくちょう》をあわせもつのが、ハイブリッドアプリです。ブラウザアプリ上で表示するコンテンツをネイティブアプリのように端末《たんまつ》にインストールして動かすため、ハイブリッドと呼ばれています。Android OS、iOSの知識がなくとも、ウェブアプリの知識さえあれば開発がしやすいなどといった長所があります。ネイティブアプリと同様、端末《たんまつ》にインストールして動作させることで、カメラやGPSといった機能も使用できることが特徴《とくちょう》です。

スマホ向けアプリ

身近なスマホ向けアプリには、どんなものがあるでしょうか。仕事をしている人に便利なスケジュール管理アプリや、子育て中の人向けのアプリなど、年齢《ねんれい》や用途《ようと》によってさまざまなアプリがあります。ここでは、中高生に人気のある主なものを見ていきましょう。

●コミュニケーションアプリ

24時間、いつでもどこでもメッセージを送り合い、通話も行えるメッセンジャーアプリです。「LINE」（ドキュメント1参照）などがこれに当たります。友だち登録さえしていれば、手軽にスマホを通してコミュニケーションが行えるため、多くの人に利用されています。

●SNS（ソーシャルネットワーキングサービス）アプリ

「Twitter」や「Instagram」に代表されるSNSアプリは、自分のプロフィールを書き込《こ》んだアカウントを作成し、情報を発信することができる手軽さから多くの人びとに愛好され、個人はもちろん、芸能人から大企業《だいきぎょう》まで、さまざまな情報を発信しています。

●学習アプリ

アプリ内で提供される教材に取り組んでいくことで、多彩《たさい》な事柄《ことがら》を学べるアプリです。このようなサービスには、「スタディサプリ」（ドキュメント2参照）などがあります。自分のペースで、好きな時間に好きな量に取り組むことが可能です。

●音楽配信アプリ

さまざまな音楽を、いつでも聞くことができるアプリです。「AWA」（ドキュメント3参照）などがあります。CDを買ったり、一曲ずつダウンロードして購入《こうにゅう》したりしなくても、サービスに登録しさえすれば膨大《ぼうだい》な数の曲を聞くことができます。そのため、現在では多くの人がこれらのアプリを使用して、日常的に音楽を楽しんでいます。

●ゲームアプリ

スマホの機能向上により多種多様なゲームが発売されています。過去にヒットした家庭用ゲーム機専用作品を、スマホ向けソフトとして発売するケースもあります。家庭用ゲーム機を買わないでも、手軽に遊べることが特徴《とくちょう》です（ミニドキュメント1参照）。

●画像加工アプリ

「ＳＮＯＷ」（ミニドキュメント２参照）のように、撮影《さつえい》した画像を雰囲《ふんい》気《き》のある色合いにしたり、キャラクターのスタンプを貼《は》りつけたりするなど、画像をいろいろと加工できるアプリです。自分の顔や身近な風景を撮影《さつえい》して、ＳＮＳにアップロードすることができ、現在、多くの人が愛好しています。

撮影した顔の画像などを加工できるアプリ「ＳＮＯＷ」
ＳＮＯＷ Japan 提供

●ショッピングアプリ

いつでもどこでも使用できるスマホ用アプリは、買い物にも便利です。「Amazon」などの通販《つうはん》サイトはどこもアプリを提供しており、欲しいものがある時は、画面をタッチするだけで購入《こうにゅう》ができます。

●動画配信アプリ

「YouTube」に代表される動画配信アプリは、企業《きぎょう》から個人まで、いろいろな人たちが動画をアップロードしており、誰《だれ》でも閲覧《えつらん》できます。一定以上の再生数を得た動画には投《とう》稿《こう》者に広告料の一部が支払われるため、広告収益のみで生活をしている人もいます。

定額料金を払うことで、映画やドラマなどを好きなだけ鑑賞《かんしょう》できるアプリやサービスもあります。

このほかにも、ニュース、GPSを利用した地図、天気予報など、私たちの日常生活にかかわる、多彩《たさい》なアプリがあります。

「課金」のしすぎに注意！

たくさんの人びとに使用され、今ではスマホとともになくてはならない存在となっているアプリですが、注意点もあります。

いろいろな会社の広告を表示し、広告料を得ることで、課金が発生しないアプリもあります。しかし、前の項目《こうもく》で紹介《しょうかい》している音楽配信アプリなどは、機能をすべて使うには、大体月当たり１０００円ほどのお金を支払う必要があります。

また、ゲームアプリなどは、基本的に無料で遊べるものの、新しいキャラクターを入手したり、一日に長時間遊んだりするためには、ゲーム内で使用できるお金を購入《こうにゅう》する「個別課金」が必要なことがあります。個別課金は一つひとつは少額ですが、ついついやりすぎると、大きな金額を支払うことにもなってしまうので、気をつけましょう。

ＳＮＳでどんな情報を公開するか

ＳＮＳで人と人との距離《きょり》が狭《せば》まった昨今ですが、だからこそ人間関係には注意する必要があります。テキストや写真だけでのやりとりでは、相手を傷つけることもありますし、意図せず自身の個人情報を発信してしまい、トラブルを招くこともあります。手軽だからこそ、何か投稿《とうこう》をするさいには、ほんとうにそれでいいのか、これは誰《だれ》も傷つけない内容なのかなど、一つひとつ確認していくことが大切です。「デジタル・タトゥー」という言葉があるように、一度インターネットに流れてしまった画像や文章は消せません。半永久的に残るため、細心の注意が必要です。

認証されていないアプリは危険なことも……

アプリのなかにはストアの認証を受けていないものもあります。通常のストアアプリでダウンロードできるアプリにはない機能などがあり、一見便利なのですが、ストアの認証を受けていないということは、アプリの使用でウイルスに感染した、個人情報を抜《ぬ》き取られたという事態になっても、すべてが自己責任となってしまいます。そのため、知識のない状態で使用するのは危険です。

「歩きスマホ」は気をつけて!

ニュースなどでも言われていることですが、スマホの画面を見たまま道を歩く「歩きスマホ」はたいへん危険です。気になる情報を追いたいあまりに、思いがけない事故に遭《あ》ってしまうこともあります。外でスマホを操作する時は、気をつけましょう。

アプリケーションエンジニアってなんだろう?

パソコンやスマホの需要にともなって活躍の場が広がっている

アプリケーションエンジニアという職業の誕生《たんじょう》

1960年代までは、コンピューターというと、大型の冷蔵庫ほどの大きさで、前面に取りつけられた大きなリールに巻きつけられた磁気テープにデータを記録するというものでした。しかも、1台では記録容量が少なく、大きな部屋に何台もコンピューターが並《なら》ぶという光景が見られました。非常に高価で一部の大企業《だいきぎょう》などで使われているだけでした。

1970年代にミカン箱サイズのパソコンが登場し、1980年代には価格も数十万円ほどになって導入する会社が増えていきました。1990年代になると、さまざまな分野でコンピューターが使われるようになりました。一部の専門家だけでなく、それほどコンピューターの知識がない人でも表計算ソフトやワープロソフトが使えるようになってきたのもこのころです。

小型化されただけではなく、性能や記憶《きおく》容量も格段に進歩していきました。たとえば1968年、日本で完成した最初の高層ビル「霞《かすみ》が関《せき》ビルディング」を建設する時に、当時のコンピューターでは、耐震《たいしん》構造の計算に1週間ほどかかったそうです。それが、1990年代に同じ計算をパソコンにやらせてみると、ほんの数十秒で計算が終わったといいます。

パソコンの技術・性能の開発が進み、需要《じゅよう》が急速に増えると、プログラムを作る人、プログラムを書ける「プログラマー」という職種が注目されるようになってきました。

同時に1990年代はインターネットが急速に進化したころでもあります。インターネットの普及《ふきゅう》は驚異的《きょういてき》な勢いで広がり、それにともなってプログラミング言語や必要とされるスキルも変化していきました。

2007年にiOSを搭載《とうさい》したiPhoneが、2008年にAndroid OSを搭載《とうさい》したスマホが相次いで発売されました。スマホは、それまでの電話機能が主であるいわゆる「ガラケー」とは違《ちが》い、よりアプリに比重を移し、パソコンに近いものでした。近年、つぎつぎと新しいアプリが開発されたり、いろいろな機能がつけ加えられたりしている状況《じょうきょう》は、みなさんもよくご存知のことでしょう。

パソコンやスマホの需要《じゅよう》が急速に伸《の》びた結果、プログラマーの仕事も多様化し、その役割によって、システムエンジニア（ＳＥ）や、アプリケーションエンジニアなどと職種が細分化されていくようになりました。アプリケーションエンジニアという職業が生まれてから、まだ十数年なのです。これからも、パソコンやスマホの需要《じゅよう》はますます増えていき、新しい機能やアプリが求められることを考えれば、アプリケーションエンジニアの活躍《かつやく》の場もどんどん広がっていくのではないでしょうか。

主な仕事

アプリケーションエンジニアは、ひと言でいうと、システム設計からプログラムの開発、開発したシステムの動作テストなど、システム開発の一連の作業を担当するエンジニアです。また、ひと口にアプリケーションエンジニアといっても、大きく分けてつぎのような四つの仕事があります。

●スマホアプリ（ネイティブアプリ）の開発

この本にも登場するさまざまなスマホ用アプリの開発です。簡単なアプリから大規模なアプリまで、多種多様です。

●ウェブアプリの開発

動画や音楽配信サイトなど、「ブラウザアプリ」を使用して閲覧《えつらん》するアプリの開発です。比較的《ひかくてき》規模の大きな開発にたずさわることになります。スマホだけでなく、パソコンでも見ることができます。

●業務系アプリの開発

個々の会社で使っている経理やスケジュール管理、顧客《こきゃく》管理などで活用されるアプリの開発です。大規模なものになると、銀行や電力会社などで活用されています。これらは、主にパソコンなどのコンピューターで取り扱《あつか》うアプリです。

●保守・運営・メンテナンス

開発・発表したアプリは、メンテナンスなどを定期的に行う必要がありますが、これもアプリケーションエンジニアの仕事のひとつです。

求められるのは知識と技能、対人スキル

内容や分野によって仕事を分けている会社もありますが、スマホ用アプリでもインターネットの知識が必要だったり、運営やメンテナンスの方法を熟知していることが求められたりします。

たとえば、ＳＮＳアプリを開発・運営している会社のアプリケーションエンジニアの仕事は、自社のアプリに「つぎにどんな機能を付加しようか」「もっと使いやすくするにはどうしたらよいか」などを考え、企画《きかく》するところから始まります。企画《きかく》書が通れば、企画《きかく》をより具体的なものにするために、デザイナーやほかのアプリケーションエンジニアと打ち合わせを重ねてイメージを共有し、実際にプログラミングを始めます。途中《とちゅう》で何度も打ち合わせをして、自分の書いたプログラムが企画《きかく》した意図と離《はな》れていないかを確認し、リリースの日をめざして仕上げていきます。リリースすると、今度はユーザーの反応を見ながら、日々プログラムを変更《へんこう》したり、修正したりする作業が始まります。

ひとつのプログラムにさまざまな職種の人たちがかかわっている　リクルート提供

実際にプログラミングをしていく能力ももちろんですが、インターネットやメンテナンスなどの幅広《はばひろ》い知識、そして多くの人とやりとりをしながら作業を進めていくコミュニケーション能力やマネジメント力が求められる仕事です。

システムエンジニアとの違《ちが》い

アプリケーションエンジニアとシステムエンジニアは、ときに混同されることもありますが、仕事内容には大きな違《ちが》いがあります。

アプリケーションエンジニアが、主にアプリ関連の開発や運営を行うのに対し、システムエンジニアは情報システム全般《ぜんぱん》の開発を行います。

システムエンジニアは、顧客《こきゃく》の求めるシステムをいつまでにいくらくらいのコストで開発するかを算出してできる限り要望に沿ったシステムの設計をし、開発を担当するプログラマーにプログラミングを任せます。顧客《こきゃく》の求めることに基づいて、開発の一連の指揮をとるのが、システムエンジニアの仕事です。

新卒入社時点でアプリケーションエンジニアとして採用する会社もありますが、最初にシステムエンジニアとして採用し、システム開発の一連の流れを経験させた上で、その人の適性や関心などに応じてアプリケーションエンジニアに抜擢《ばってき》する会社も多いようです。

アプリが誕生するさまざまな職場

外資系の会社も多い

スマホ用アプリを作っているのは、日本《にほん》の会社ばかりではありません。たとえば、この本で紹介《しょうかい》しているコミュニケーションアプリＬＩＮＥや画像加工アプリＳＮＯＷを作っている会社は韓国《かんこく》に本社があります。Twitter や Facebook はアメリカに本社のある企業《きぎょう》のアプリです。一方、ゲームを作っているスクウェア・エニックスや音楽配信アプリを運営しているＡＷＡは日本の企業《きぎょう》です。

外国に本社がある会社や外国人が資本の３分の１以上を出資している会社を「外資系」といいます。本社が外国にある会社はほとんどが外資系です。スマホ用アプリを作っている会社は、外資系の活躍《かつやく》も多くみられます。世界的な規模で展開していることが多いため、一見して外資系かどうかわかりにくいかもしれません。

外資系の会社は、日本の会社とは異なる点がいくつかあります。たとえば、日本の会社は年齢《ねんれい》や勤続年数によって役職や給与《きゅうよ》が上がる年功序列型のシステムを採用しているところが多いですが、外資系では若くても優秀《ゆうしゅう》で実力のある人はそれに見合った給与《きゅうよ》や役職となる傾向《けいこう》がありますし、周囲の目をそれほど気にせずに休暇《きゅうか》なども取りやすい環境《かんきょう》であったりします。その半面、成果が出せない時はすぐに、給与《きゅうよ》などに反映されることもあります。

職場の勤務時間や雇用《こよう》形態はさまざま

会社の規模などにもよりますが、基本的に勤務は週5日で土日・祝日が休日となっています。勤務時間は、朝の9時か10時ごろに始まって夜は6時か7時ごろに終わるところが多いようです。会社によっては、自分で出勤時間や退勤時間を決めることのできる「フレックスタイム」を導入しています。一カ月に働く時間は、あらかじめ決められていますが、朝出勤する時間を11時にしようとか、月曜日は20時まで働くけれど、金曜日は17時までで帰るというように、自分の都合に合わせて働くことができる制度です。フレックスタイムを採用している会社では、「コアタイム」という必ず出勤していなければいけない時間帯を決めているところもあります。たとえば13時から15時までがコアタイムの会社では、その時間内に会議をしたりします。また、最近では、週に何日かは自宅勤務としているところもあります。

もの作りの現場なので、アプリのリリース直前の追い込《こ》みの時期などはどうしても残業が多くなります。しかし最近では、エンジニアの健康管理に気をつけ、残業時間に制限を設けている会社も増えています。私生活や家庭の事情などを考慮《こうりょ》できる働きやすい職場となってきているのではないでしょうか。

現在、女性のアプリケーションエンジニアは2割くらいですが、女性特有の感性などが活かされるアプリもあり、女性の進出が期待されています。

また、雇用《こよう》のさい、正社員か契約《けいやく》社員かを選べる会社も増えているようです。正社員は雇用《こよう》期間の定めがなく、社会保険や福利厚生の面で保障もあり、収入は安定します。半面、会社によっては転勤や、自分が望んでいない部署への異動などもあります。多くは副業が禁止されています。一方で、契約《けいやく》社員は、得意とする分野に限定して仕事ができたり、スキルに合わせて給与《きゅうよ》が支払われたりしますが、長期の雇用《こよう》が難しいという面があります。

派遣《はけん》会社に登録して仕事をする人もいます。数は少ないですが、フリーランスで仕事をする人もいます。

会社の規模は多種多様

インターネットやパソコン、スマホ用アプリの需要《じゅよう》が急速に伸《の》びている今、アプリケーションエンジニアを必要としている会社も増え続けています。主な就職先は、ウェブシステムやアプリ、その他のソフトウエアを開発するＩＴ企業《きぎょう》ですが、一般《いっぱん》の会社からの求人もあります。

たとえば、最近は銀行のサービスでも窓口に行かずにスマホから貯金の残高を確認したり、振《ふ》り込《こ》んだりすることができます。電力会社やガス会社も、スマホで月の電気やガスの使用量などを確認できます。そうしたシステムの開発や運営もアプリケーションエンジニアの仕事です。それぞれの会社でみずから開発部門をもち、アプリケーションエンジニアが所属している場合もあります。

一方、専門の会社がアプリを作成している場合もあります。２０００人を超《こ》える大きな規模で、自社のアプリやサービスを企画《きかく》・開発する会社もありますし、数人規模で大企業《だいきぎょう》から業務委託《いたく》を受けたり、自分たちでアプリの開発をしたりする会社もあります。また、アプリを運営するだけ、デバッグ（修正箇所《かしょ》を見つける）だけなど、専門分野に特化した会社もあります。

エンジニアとして、自分がどんな形でどんなアプリの開発がしたいかによって雇用《こよう》先や勤務状態を選べるともいえます。

エンジニアとしてのキャリアアップ

ＩＴ業界では個人の技術力や経験が評価されやすいので、新卒で入った会社から、アプリ開発のスペシャリストとして、より給与《きゅうよ》や待遇《たいぐう》のよい会社に転職する人も少なくありません。

アプリケーションエンジニアとして経験を積んでから、プロジェクト全体の管理や指揮をするプロジェクトマネージャーや、ＩＴコンサルタントになるなどの道もあります。ＩＴコンサルタントは、業務を効率化したり、システムの課題を解決するのが仕事です。エ

ときにはユーザーと直接ふれあえる機会もある　スクウェア・エニックス提供

ンジニアとしての知識や技術だけでなく、経営者目線のマネジメント能力が求められます。

また、一度会社に入って業務を経験してから、新しいプロジェクトを立ち上げるなどして起業し、自分が経営者の立場になる人が多いのもこの業界の特徴《とくちょう》です。

アプリケーションエンジニアは、決して楽な仕事ではありませんが、もの作りの醍醐味《だいごみ》があり、アプリが完成した時やユーザーから評価された時の喜びは何ものにも代えられません。エンジニアとしての技術や能力が評価と直結する職業ですので、自分の努力しだいで年収や立場が向上するのが魅力《みりょく》な仕事ともいえるでしょう。

アプリケーションエンジニアとともにアプリを世に送り出す人たち

チームワークでアプリを開発

プログラムを書くエンジニアだけで、アプリが完成するわけではありません。たとえばゲームアプリの場合は、ゲームのシナリオを書く人、音楽を作る人、登場人物などのキャラクターを描《か》く人、エフェクトを作る人など、物語に関するさまざまな人がかかわってきます。ここでは、いろいろなアプリに共通してかかわる仕事をご紹介《しょうかい》します。

プロジェクトマネージャー

アプリ開発のプロジェクト全体の進行管理をします。予算や品質、納期などについて全体を俯《ふ》瞰《かん》して意志決定し、プロジェクトを成功へと導く責任者です。アプリの構造や機能に応じて、エンジニアは何人、デザイナーは何人必要か、誰《だれ》がプロジェクトに適しているか、などを考慮《こうりょ》してチームを作るのも、プロジェクトマネージャーの仕事です。

企画《きかく》

SNSなどに書きこまれたユーザーの意見からどんなアプリや機能が必要とされているかを考えたり、こんな機能があったらもっと便利ではないかなどを考えたりするのが仕事です。プロジェクトマネージャーやアプリケーションエンジニアが企画《きかく》を提案することもあります。

思いつきだけでなく、法律や著作権、ほかのアプリの権利を侵害《しんがい》していないかなども考えなくてはいけません。たとえば、ゲームアプリ内で課金をして景品が当たる仕組みなどで、実際にシステムで設定した当選確率より確率を高く表示したりするのは法律違反《いはん》です。システムで当選確率を3％に設定しているのに、「10回引けば1回当たる！」などとアピールするのは事実と反します。こうした点にも目を配ります。企画《きかく》実現のために最低限必要な機能は何か、ユーザーに受け入れられるアプリとは、などを検討するのも企画《きかく》の仕事です。

デザイナー

コンテンツのデザインをする仕事です。たとえば、「LINE」のスタンプなどがそれに当たります。プロジェクトマネージャーやアプリケーションエンジニアといったチームの人たちと話し合い、イメージをより具体的なデザインにしていきます。そのアプリを主に使う年代など、対象となるユーザーの傾向《けいこう》を把握《はあく》していることも必要です。

デザインのスキルだけでなく、さまざまな人の意見を調整してイメージを形にするコミュニケーション能力も求められます。

UIデザイナー

「UI」は、ユーザーインターフェースの略です。インターフェースとは、日本語にすると「接点」「つながり」を意味します。つまり、ユーザーインターフェースとは、ユーザーとアプリの接点となる見た目の部分のことです。たとえば、画面上のボタンの位置や文字の大きさなどによって、アプリの使い勝手は変わります。ユーザーにとって使いやすくわかりやすい見た目を作るのがUIデザイナーの仕事です。

似た言葉でUXデザイナーという仕事もあります。「UX」とはユーザーエクスペリエ

料金受取人払郵便

本郷局承認

4584

差出有効期間
2023年1月31日
まで

郵便はがき

113-8790

(受取人)
東京都文京区本郷1・28・36

株式会社　ぺりかん社

一般書編集部行

購入申込書	※当社刊行物のご注文にご利用ください。
書名	定価[　　円+税] 部数[　　部]
書名	定価[　　円+税] 部数[　　部]
書名	定価[　　円+税] 部数[　　部]

●購入方法をお選び下さい(□にチェック)	□直接購入(代金引き換えとなります。送料+代引手数料で900円+税が別途かかります) □書店経由(本状を書店にお渡し下さるか、下欄に書店ご指定の上、ご投函下さい)	番線印(書店使用欄)
書店名		
書　店 所在地		

書店様へ:本状でお申込みがございましたら、番線印を押印の上ご投函下さい。

※ご購読ありがとうございました。今後の企画・編集の参考にさせていただきますので、ご意見・ご感想をお聞かせください。

アンケートはwebページでも受け付けています。

URL http://www.perikansha.co.jp/qa.html

書名	No.

●この本を何でお知りになりましたか?

□書店で見て　□図書館で見て　□先生に勧められて
□DMで　□インターネットで
□その他［　　　　　　　　　　　　］

●この本へのご感想をお聞かせください

・内容のわかりやすさは?　□難しい　□ちょうどよい　□やさしい
・文章・漢字の量は?　□多い　□普通　□少ない
・文字の大きさは?　□大きい　□ちょうどよい　□小さい
・カバーデザインやページレイアウトは?　□好き　□普通　□嫌い
・この本でよかった項目［　　　　　　　　　　　　］
・この本で悪かった項目［　　　　　　　　　　　　］

●興味のある分野を教えてください（あてはまる項目に○。複数回答可）。
また、シリーズに入れてほしい職業は?

医療　福祉　教育　子ども　動植物　機械・電気・化学　乗り物　宇宙　建築　環境
食　旅行　Web・ゲーム・アニメ　美容　スポーツ　ファッション・アート　マスコミ
音楽　ビジネス・経営　語学　公務員　政治・法律　その他
シリーズに入れてほしい職業［　　　　　　　　　　　　］

●進路を考えるときに知りたいことはどんなことですか?

［　　　　　　　　　　　　］

●今後、どのようなテーマ・内容の本が読みたいですか?

［　　　　　　　　　　　　］

<table>
<tr><td rowspan="2">お名前</td><td>ふりがな</td><td rowspan="2">ご職業・学校名</td><td rowspan="2"></td></tr>
<tr><td>［　歳］
［男・女］</td></tr>
<tr><td>ご住所</td><td colspan="3">〒［　　－　　］　TEL.［　　－　　－　　］</td></tr>
<tr><td>お買上書店名</td><td colspan="3">市・区
町・村　　　　書店</td></tr>
</table>

ご協力ありがとうございました。詳しくお書きいただいた方には抽選で粗品を進呈いたします。

ンスの略です。エクスペリエンスは、「体験」といった意味で使われます。たとえば、ショッピングアプリを使う時、欲しい商品に迷わずたどり着いたり、すぐに買い物ができたりするようなユーザーが使いやすくわかりやすい中身をデザインするのがＵＸデザイナーの仕事です。ＵＩデザイナーがＵＸデザイナーを兼《か》ねていることもあります。

品質管理

アプリが完成しても、すぐにリリースできるわけではありません。アプリが正常に動くかどうかを検証する「デバッグ」の仕事が待っています。何十種類もあるすべてのスマホの機種でアプリが正しく動くかを確かめる作業です。デバッグを担当するのが品質管理の部署です。検証作業には何百人もの人手が必要なので、自社以外にも外部の専門会社に依《い》頼《らい》することもあります。

デバッグ作業でバグ（プログラムの誤り）が見つかったら、エンジニアに報告し、修正してもらうという作業をくり返し、どんな機種でも正常にアプリが動くことをめざします。

宣伝・広報

アプリを多くの人に知ってもらうのが仕事です。たとえば、新しく出すアプリを発表するイベントを計画・実行したり、雑誌の取材に応じたり、アプリケーションエンジニアなど現場の人が取材される場合はスケジュールを調整したりします。新しいアプリをどのように宣伝すればより多くの人に知ってもらえるかを考え、実行するのが宣伝・広報です。自社に広告・宣伝の部署がある場合でも、大きなイベントなどのさいは広告代理店に依頼《いらい》することがあります。

運営

アプリは、バグが修正され、リリースできる状態になったら、Apple Store や Google Play などのアプリストアに登録されます。審査《しんさ》で適格と見なされると、いよいよユーザーがダウンロードしてアプリを使える状態になります。その後にアプリを維持《いじ》・管理していくのが運営の仕事です。

ゲームリリース時に開催されたイベント「スターオーシャン　星海祭」　スクウェア・エニックス提供

リリース後には、どんな人がどの時間帯にそのアプリを利用しているかを調べるため、アクセス解析《かいせき》をして利用状況《じょうきょう》を調査します。また、メールなどで会社に送られてくるユーザーからの指摘《してき》や要望などに応じてプログラムを修正したり、バージョンアップを行ったりします。運営の仕事は、専門の人がいますが、アプリケーションエンジニアも参加することがあります。また、会社によっては他社に任せるところもあります。

広告営業

課金しないでも使えるアプリが数多くあります。そうしたアプリの収入源は、主に広告です。たとえば、無料のゲームアプリでは、決まった回数や使用時間によって定期的に、広告画面に切り替《か》わります。また、画面の一部に広告が掲載《けいさい》されることもあります。よく検索《けんさく》される言葉などからユーザーが興味をもつであろう事柄《ことがら》を解析《かいせき》して、分析《ぶんせき》結果に基づいて広告を表示するリスティング広告もあります。広告営業の仕事は、広告を出したい会社に打診《だしん》して、アプリ内に広告を出してもらうことです。広告の出た画面をユーザーが1回見ることで広告料が入るインプレッション課金方式、ユーザーが広告をクリックすることで広告料が入るクリック課金方式など、さまざまな形があります。よく使用されるアプリは、当然広告を目にする人も増えるので、たくさん広告料が入ることになります。

ミニドキュメント 1 ゲームアプリの開発現場から

運営プロデューサーとしてゲームアプリ開発を進める

スクウェア・エニックス
甲《か》斐《い》聖《たか》現《あき》さん

取材先提供（以下同）

スマホ用ゲームを運営するまで

スマホ用ゲームを開発する流れは、パソコンやゲーム機を使うゲームとそれほど変わりません。ゲームに盛《も》り込《こ》まれる機能について詳細《しょうさい》に書き込《こ》んだ仕様書を作り、実際にプログラミングを行って開発を進めていきます。

スマホ用ゲームアプリの多くは、インターネットにつないでたくさんの人と遊ぶ仕様になっています。開発段階では、たいていはインターネット上のサーバー（ネットワーク上で、接続したコンピューターやスマホに情報を提供するコンピューターのこと。その情報を受け取る側を、クライアントと呼ぶ）に接続しないで作業を進めていきます。

手元の端末《たんまつ》で動作させるアプリはよく「ク

ライアントアプリ」と呼ばれます。クライアントアプリのプログラミングを進めたあとに、インターネットを使用して遊ぶさいの機能の開発を行うのが主流です。開発と同時にゲームの動作を確認する品質管理なども行い、製品としてユーザーに届けられる形にしていきます。

開発がひと通り終わると、ＯＳを提供しているApple社やGoogle社などのストアアプリで配信する「リリース」の準備に入ります。リリース前にはそうした会社の審査《しんさ》を受け、配信する上で内容に問題がないかを確認してもらいます。そのあとは、ゲームが配信されることをユーザーに発表し、ゲームのサービスへの事前登録を呼びかけることで、作品をより多くの人に知ってもらいます。

そうして、いよいよアプリのリリースが開始されると、運営業務も本格的に始まります。

運営にはどのくらいの人が必要？

一般《いっぱん》的なスマホ用ゲームの運営は、規模にもよりますが、最低でも20～30人のスタッフが必要だと思います。緻密《ちみつ》な３Ｄのグラフィックが施《ほどこ》されていたり、ゲーム内のイベントやキャラクターの配信をたくさん行うタイトルの場合は、現場の人数が１００人を超《こ》えることもあります。

スタッフとしては、まずプロデューサーや運営プロデューサー、そして、ゲームの開発を取り仕切るディレクターが必要です。

運営プロデューサーとしての主な仕事は、ユーザーと開発スタッフの橋渡《はしわた》しを行うことです。たとえば、ゲームのイベントや、ネット上で配信する生放送で、運営プロデューサ

イベント会場でお客さんといっしょにもりあがる

ーとしてユーザーの前に登場し、「つぎはこんなイベントをやります」「こういうキャラクターを追加します」と発表したり。ほかにも、ユーザーから届くゲームへの要望を受けて今後の目標を設定し、開発現場のスタッフに伝えるなどして、実際にアプリを使う人の意見をゲームに反映していきます。

つぎに、ゲームの企画《きかく》やルールを考え、デザインをするゲームデザイナーが必要です。開発スタッフの2割ぐらいをゲームデザイナーが占めることが多いと思います。スマホ用ゲームを作る時のデザイナーの人数は、ほかのジャンルのゲームの現場より多いかもしれません。というのも、ゲームとして楽しく遊んでもらうことを考えるのはもちろんですが、どこでも持ち歩けるスマホだからこそ、日常のどういったタイミングでゲームをしてもらうかも設計する必要があるからです。この敵との戦いは少ない空き時間にできるけれど、これは休日を使わなければ倒《たお》せない敵にしようといったことですね。また、この強い敵が現れるタイミングで魅力的《みりょくてき》なキャラクターを配信すれば、プレーする人は課金を行って手に入れたくなるなどといった、収益につながる仕組みを考えることも必要です。

くわえて、アプリ側のプログラミングをするエンジニアと、プレーする人たちが接続するサーバーの管理を行うエンジニア。現在ではUnityやUnreal Engineなど、アプリを効率的に開発するツールが登場したため、以前よりも少ない人数で開発を進められるようになりました。それでも、開発スタッフ全体でエンジニアが占めるのは2割ぐらいが一般《いっぱん》的だと思います。あとは、グラフィッカーです。絵を描《か》く人、3Dの場合はモデリング（ゲーム上で表示される、3Dのキャラクターやアイテムといった物体を作成すること）をする人、モーション（ゲーム内での、キャラクターなどの動き）を作る人、UI（ユーザーインターフェース）を作る人など、映像的な情報にたずさわる人たちですね。グラフィッカーは、敵モンスターや新しいマップなど、ゲーム内の要素が多ければ多いほど人数が必要になります。宣伝をする広報の人、ユーザーからの問い合わせを収集する人、ユーザーがどのくらい長くゲームを遊び、アプリ内でお金を使用しているかのデータを集め、分析《ぶんせき》する人なども必要で、数名ずついることが多いでしょう。

一般《いっぱん》的なスマホ用ゲームの現場は、おおむねこのような体制で運営を行っていることが多いようです。長期間運営する作品は、ずっと開発が続いていくので、スタッフの入れ替《か》わりなどはなく、同じスタッフで開発を続けていくことが多いです。

どのアプリでも「初動」が大切

スマホ用アプリにとって、リリースした月の登録人数、課金額は指標になることが多いです。そのため、事前登録を含《ふく》めたアプリの宣伝は、話題性や登録数が伸《の》びやすい、最初の3カ月に力を入れることが一般《いっぱん》的です。

初動が大きければ大きいほどアプリにとって良い結果となりますが、想定以上に大きすぎた場合は、対策を考える必要があります。ゲームで遊ぶためのサーバーは、一定数以上の接続があると混雑し、接続に時間がかかる、通信ができなくなるなどの問題が発生しやすくなります。サーバーはおおまかな接続数を予想して規模《きぼ》や台数を決めますが、それを上回る過剰《かじょう》な接続があると耐《た》えられません。そうした場合は、サーバーを管理するプログラムを修正したり、サーバーに使用するコンピューターの数を増やしたりする必要がありま す。サーバーの管理には毎月大きな金額がかかるため、最初から大量にサーバーを用意するわけにもいきません。どんなスマホアプリにも、リリース日や新しいイベントの開始日など、ゲームに動きがあるポイントでトラブルは起きがちなので、なかなか予想が難しいことが頭痛の種です。

また、リリース時の結果が想定より悪い場合もあります。しかし、スマホ用アプリの場合は、さらに機能を追加したり、新たなゲームデザインに変更《へんこう》したりして良い結果を狙《ねら》う

『スターオーシャン：アナムネシス』のバトルシーン。シリーズ歴代キャラクターが登場する

ことができるので、あきらめてすぐにサービスを終了《しゅうりょう》することはあまりないと思います。サービス終了《しゅうりょう》となる場合は、たとえばゲーム内で使用している通貨を現金としてユーザーに返却《へんきゃく》するなどさまざまな手続きが生じます。そうした準備もあり、サービスを終える期間は、少なくとも開始から半年程度は見《み》込《こ》んでいます。

主な一日のスケジュール

私の一日のおおまかなスケジュールとしては、まず午前10、11時ごろに出社をし、午後1時ごろまで、諸連絡《しょれんらく》などのメールチェックを行います。午後は、先程お話しした開発スタッフたちと、会議やチャットアプリを使ったやりとりをします。内容は、開発に当たっての指示や、スタッフの作り上げた成果物の確認などです。具体的には、今後実施《じっし》したい期間限定のイベントやキャンペーンの内容を開発スタッフと話し合ったり、ユーザーから要望されている改修や追加要素を決めたりします。また、広告や宣伝のスタッフと今後のマーケティングプランを相談したり、グッズなども作っているアプリの場合は制作するグッズのアイディアを練ったりします。開発スタッフが作ったゲーム仕様が適切かチェックをしたり、キャラクターの見た目や動きを確認して、もっと迫力を足して欲しいとか、演出のテンポを短くして欲しいとか、ユーザーがどういうものを求めているか考えながら修正指示を出したりします。一日のほとんどはこういった会議や確認の仕事をしています。

そこからだいたい夜の7時、8時になると、開発スタッフも帰り始めて、連絡《れんらく》業務は落ち着きます。それからは、自身の作業時間として、ゲーム内容についての発表を行うイベントの企画《きかく》書や、会社への報告資料、スタッフ向けの資料作りを行っています。

最近は、リモート業務が中心となって生活が一変し、朝起きたあとは会社には行かず、家事をしながらメールチェックを始めます。

家族と接する機会が以前より増えたのは喜ばしいことですが、以前と同じスケジュールでは自分の作業が行いづらいため、子どもが登校した直後の8時から10時までの2時間でイベントの企画《きかく》書など自分の作業を行うなど、スケジュールを見直して対応しています。

アプリ運営の楽しさ、大変さ

スマホ用ゲームアプリの運営で特徴的《とくちょうてき》なのは、〝サービスを維持する〟ことです。アプリ運営のスタッフもふつうの会社員なので、土日祝日などの休日はもちろんありますが、休日もユーザーはそのゲームで遊んでいるので、「今、何かトラブルは起きていないかな……」と少しチェックしたり、自分のスマホでゲームアプリをプレーしてようすを見たりします。土日や深夜といった時間帯にかかわらず、何か問題が起きたりする場合はありますから。たとえば、不具合があってサーバーが止まってしまったとか、ユーザーがプレーできない状態になった場合は、休日だとしても、開発スタッフに出勤をしてもらって、不具合の修正作業をお願いすることになります。スマホ用ゲームアプリは、24時間いつでも好きな時に遊べるようでなければならないので、サービスを停止することなく、維持し続ける必要があるのです。

もちろん、楽しいこともあります。いちばんうれしいのは、ユーザーといっしょにゲーム作りを行っていけることです。ユーザーの声を聞いて、それを反映させられるのがスマホ用ゲームのよいところですから。運営を行っていると、ゲームに関してほんとうにたくさんの要望をいただきます。要望をゲームに反映していくと、SNSなどで褒《ほ》めてもらえることがあるのです。僕《ぼく》の場合、ネットなどの生放送にも本名で出演しているので、「たかあきよくやった！」と名指しでコメントをもらえることもあり、そんな時は、プレーしている人たちとゲームを通してつながっている気がして、「もっとがんばらなきゃ！」と思います。そのやりとりや距離感《きょりかん》の近さが長期運営するゲームの特徴《とくちょう》であり、私にとってはいちばんのやりがいになっています。

ミニドキュメント 2 画像加工アプリの運用現場から

コンテンツマネージャーとしてアプリ運用にかかわる

取材先提供（以下同）

SNOW Japan
伊《い》藤《とう》暖《はる》伽《か》さん

韓国文化に興味があった学生時代

現在でこそ、テレビをつければ韓国のアイドルが出ていたり、ドラマを放映していたり、韓国の文化は身近なものですが、私が中学生くらいの時はまだそれほどではありませんでした。当時、日本で一世を風靡《ふうび》していたのは『冬のソナタ』という韓国のドラマです。このドラマをきっかけに、日本のテレビでも韓国文化が取り上げられることが増えて、私も興味をもつようになり、大学は韓国語学科に進学しました。

その後、大学の留学制度を利用して韓国に2年間留学したさいに、韓国独自の〝自撮《じど》りの文化〟と出合うことになります。iPhoneが日本国内で認知されたころでした。まだアプリというものはそれほど身近ではなく、Instagramという新しいＳＮＳができ、まだ「映え」という言葉が生まれる前のことです。

当時、日本には自撮《じど》りの文化がありませんでした。しかし、韓国では若者が積極的に自《じ》撮《ど》りをして、写真を交換《こうかん》したりＳＮＳにアップロードをして楽しんでいると知り、日本にはないものがとなりの国で流行していることを、とてもおもしろいと感じました。

大学卒業後は、情報メディアを扱《あつか》う仕事をしたいと考え、テレビの制作会社に入社しました。韓国語関係の番組制作にかかわりたいと思っていましたが、まだ今ほどの韓国ブームではなかったため、テレビ番組の制作会社の仕事を選び、そこで情報番組のディレクター業務を経験しました。

その後、転職を考えたさいに、やはり韓国の文化が好きだったので、韓国の企業《きぎょう》である自撮《じど》りアプリ「ＳＮＯＷ」の運営会社に入社しました。ＳＮＯＷは、もともと自分自身もヘビーユーザーだったので、日本支社のＳＮＯＷ Ｊａｐａｎがあると知り、ぜひアプリ運営にかかわりたいと思ったのです。

日本の中高生に合ったコンテンツ制作

ＳＮＯＷはスマホのカメラで写した人の顔を認識して動物に変身させたり、スタンプ（撮影《さつえい》した画像上に貼《は》ることができるイラスト）で加工したりすることができるＡＲ（Augmented Reality の略。実在する風景に、バーチャルの情報を重ね合わせる技術）カメラアプリです。若者を中心に全世界で約４億人が使っています。

現在、私はコンテンツチームのマネージャ

ーです。各国の担当者がそれぞれの国に合わせたスタンプを配信します。日本のＳＮＯＷアプリ内で使えるスタンプは、すべて私が監《かん》修《しゅう》しています。日本のＳＮＯＷアプリを、いちばんよく使っているのは中高生です。そのため、中高生のトレンドに沿ったスタンプには、日本国内でのみ通じたり、流行《はや》ったりするものもあります。たとえば、２０２０年はじめにテレビでも取り上げられたものに「ＪＫにしかできないこと」という言葉を入れたスタンプがありました。ＪＫというのは、女子高生の略称《りゃくしょう》です。また、泣いているようすを表現する「ぴえん」という言葉が流行《はや》った時には、「ぴえん」という言葉を入れたスタンプを制作したり、撮影《さつえい》した自撮《じど》り写真に流行のメークをしているように画像加工できるスタンプを作ったり、流行に即応《そくおう》したコンテンツを制作しました。

　そのため、日本では特に毎日中高生のＳＮＳをチェックして、新しい流行をつかむように努力しています。

流行に乗ったコンテンツを作る

　コンテンツマネージャーの仕事は、スタンプやフィルターのデザイン、バナー広告（アプリ上に表示される広告画像）のデザイン、企画《きかく》から実際の制作、納品、全体的な監修《かんしゅう》などです。

　年末年始などの連休中にはＳＮＯＷアプリを使用する人が増えるため、その前にシーズン限定のスタンプを多めに用意するなど、多くの人に楽しんでもらえるよう工夫しています。

　流行に敏感《びんかん》な人が多く使用しているアプリ

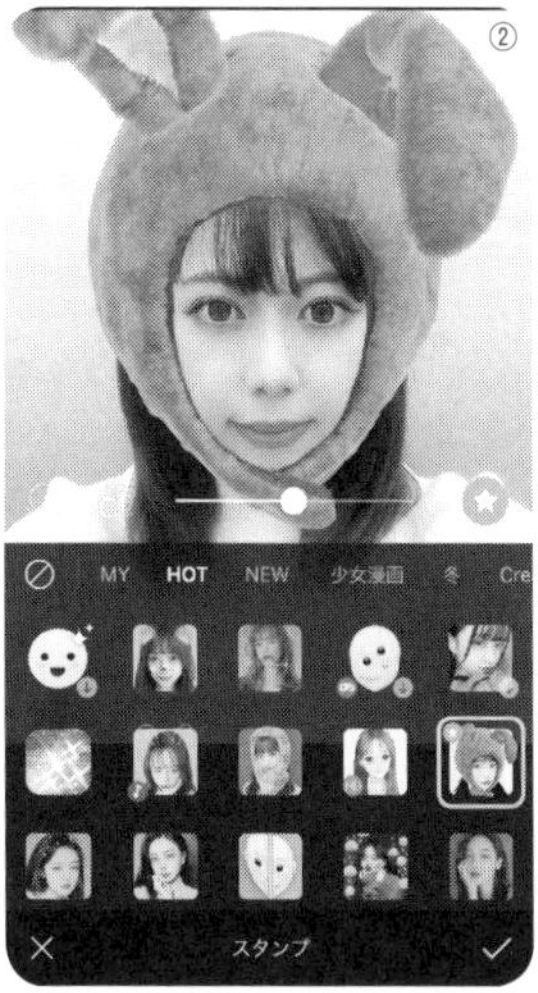

①自撮り写真。加工前
②SNOWアプリ内にあるたくさんの加工スタンプ
③スタンプを選択した加工後

なので、「これが今の流行！」ということをつかんだらチーム内で話し合い、資料を集めます。その後すぐに制作に取りかかって完成しだい公開します。早ければ、思いついてから2日程度で公開することもあります。

ＳＮＳ上でみんなが頻繁《ひんぱん》に投稿《とうこう》しているような事柄《ことがら》は、その流行がわかってからスタンプやフィルターを作り始めても、すでにピークが過ぎていて反響《はんきょう》が得られないことも。ほんとうに一瞬《いっしゅん》で流行が終わってしまうので、トレンドのスピード感には驚《おどろ》かされるばかりです。

現在のチームは、私を含《ふく》めた半分が運営を担当し、半分はデザイナーで構成されています。主な仕事として、毎日新しいスタンプやフィルターを公開したり、逆に古くなったものの公開を停止したりといった、アプリを使う人へのサービスを提供しています。チームにはトレンドに敏感《びんかん》な人がそろっているので、和気あいあいと「今度はこういうのはどうだろう?」と楽しく話し合いながら作っています。

また、SNSだけで流行を追いかけるのは限界があるので、メインのユーザー層に近い、流行に敏感《びんかん》な10代の人にインターンとして参加してもらい、話を聞くこともあります。

学生時代からやってきたことが強みに

SNOWは韓国に本社がありますが、韓国語が話せなくても仕事ができる仕組みがあります。たとえば、社内のメールソフトには翻訳《ほんやく》機能がついており、文字を打つと自動的に韓国語に変換《へんかん》してくれます。韓国本社と会話でやりとりするさいには、本社のほうにも日本語を理解できる人がいて通訳となってくれるため、韓国語ができなくても活躍《かつやく》できる職場です。

私の場合は、学生時代に韓国語を勉強していた経験が、とても生きています。韓国語表記のスタンプを日本語に翻訳《ほんやく》して配信したり、アプリ内の表記を日本語に翻訳《ほんやく》したりするのも私の仕事です。

風通しのよい社風

仕事上、いろいろな人とコミュニケーションをとりながら連携《れんけい》することが必要です。チーム内はもちろんですが、営業チームやマーケティングチームといった、別の専門チームとも毎週話し合っています。

営業チームから、ほかの企業《きぎょう》との提携《ていけい》スタンプを考えてほしいという依頼《いらい》が来ることもあります。たとえば、SNOWアプリを使って撮影《さつえい》するとキャラクターの耳や顔の被り物が表示されるなどですね。そのさいには、チーム同士で話し合い、コンテンツチームとして「そういった企業《きぎょう》との提携《ていけい》なら、今のトレンドはこういうものなので、こうしたデザインのスタンプがいいのでは」といった提案もします。

20代後半から30代前半の女性が多い職場で、みんな仲良くフレンドリーな雰囲気《ふんいき》のなか、チームの垣根《かきね》なく意見交換《こうかん》できるのが魅力《みりょく》です。

学生時代にやっておきたいこと

SNOWの場合は、特に流行に敏感《びんかん》な姿勢が大切です。もし、このような職種をめざしているのであれば、ふだんから常に情報にふ

社内ミーティングでは笑い声があふれる時も

れるくせをつけることが大切だと思います。

私の場合は、テレビの制作会社にいたこともあって、常に情報番組はチェックしています。

以前は、放映時間になったらテレビの前に座って番組を見るという人がほとんどでしたが、最近は動画配信サイトやテレビ番組を録画して自分のタイミングで見る人が増えています。視聴《しちょう》スタイルは変化していますが、それでもテレビのドラマや番組をきっかけにブームが起きることもたくさんあるので、大切な情報源です。

いち早く世間の流行に追いつく必要がある仕事なので、インターネットを使ったSNSやテレビといったいろいろなメディアを、なんでも楽しみながら見ることが大切なのではないでしょうか。楽しみながらやらないと、流行を取り入れるのも難しくなってきますし、アイデアの幅《はば》も狭《せま》くなってしまいます。

また、個人的には、専門的な動画や画像の加工ソフトを少し学んでおけばよかったと感じています。もちろん、仕事を始めてから独学で学ぶこともできますが、学生時代にさわったことがあると、とても役に立つスキルだと思います。

やりがいと今後めざしていきたいこと

日本で作ったスタンプが、世界的に人気になるということもあります。そんな時は、世界で仕事をしているという実感があって、やりがいを感じます。また、市場調査もかねて原宿《はらじゅく》や新《しん》大久保《おおくぼ》などに行ったさいに、街中で自撮《じど》りをしている子たちがSNOWアプリを使っているととてもうれしいです。

2020年からは新型コロナウイルス感染

症流行の影響《えいきょう》で、なかなか直接会って話すことは難しくなってしまいました。しかし、SNOWは過去に撮影《さつえい》した写真をおもしろく加工して交換《こうかん》し合ったりできるので、場所や時間を選ばずに笑顔《えがお》を届けられます。こうしたアプリ運営にたずさわっていることに、やりがいを感じます。

また、SNOWには「今ないものを近い未来に当たり前にする」という目標があります。これは私自身がもつ今後の目標にも当てはまります。もともとARの技術は、1~2年前までは一般的《いっぱんてき》ではありませんでした。それが今は、SNOWアプリのようなARのアプリが、あたりまえのように使われています。

最近ではSNOWアプリに、ユーザー自身がスタンプを作れる機能ができました。これからは、配信されるコンテンツを待つだけではなく、ユーザー自身もクリエーターとなって作品を公開する時代になっていくのだと思います。今はまだ、「えー、難しい」と言われることが、1~2年後はあたりまえの光景になっている……。そうした新しい〝体験〟の場を作り続け、SNOWアプリにふれる人たちに夢《ゆめ》を見てもらいたいと思っています。

収入と生活

実力重視で自由度の高い世界

給与《きゅうよ》

アプリケーションエンジニアの給与《きゅうよ》は、４年制大学卒の総合職と同じくらいが一般的《いっぱんてき》です。ただし、入社時にプログラミングのレベルやエンジニアとしての専門性が高いと認められれば、新卒入社時の段階でも通常より高い報酬《ほうしゅう》をもらえる場合があります。

ベンチャー企業《きぎょう》（新しいサービスやビジネスを展開する新興企業《きぎょう》）の場合は、入社時から責任ある仕事を任せられることが多い代わりに、給与《きゅうよ》水準は一般《いっぱん》企業《きぎょう》よりも高い傾向《けいこう》にあります。

また、外資系の企業《きぎょう》の場合は、日本の多くの企業《きぎょう》が月給制なのに対し、年俸《ねんぽう》制といって一年単位で報酬《ほうしゅう》額が決まっている給与《きゅうよ》制度をとっているケースもあります。仕事で結果を出した場合に給与《きゅうよ》が上がる制度を取り入れているのも、外資系企業《きぎょう》に多い特徴《とくちょう》です。

専門知識をもっているアプリケーションエンジニアは、他業種よりも転職しやすいといわれています。高い技術力をもった人材を求めている会社も多いため、各社がよりよい条件を提示するので、転職のたびに給与《きゅうよ》も2倍3倍と増えていく傾向《けいこう》にあります。会社によって必要な技術も評価の仕方も異なるため、自分に合った会社選びをするとよいでしょう。

かかわるプロジェクトに合わせた生活

基本的には会社に出勤して仕事をしますが、在宅で作業することを推進している会社も増えています。一般《いっぱん》企業《きぎょう》と同様に、朝9時くらいに始業して、終業は夜の6時ごろとしている会社が多いようです。

勤務中は、一日パソコンに向かって、ひたすら作業をする仕事と思われがちですが、アプリの企画《きかく》をする人やUIデザイナーなど、さまざまな人たちとミーティングをする時間もたくさんあります。アプリの企画《きかく》者がやりたいことをプログラムで再現するには、ミーティングでの意識のすり合わせの時間がとても大切です。また、チームでひとつのアプリを開発している場合は、チーム内の情報共有も必須《ひっす》でしょう。

かかわるアプリの数や性質によっても違《ちが》いますが、アプリのリリースが近いなど決められた納期がある時や、トラブルが発生した場合は、どうしても残業が多くなる場合があります。

自由度が高いオフィスの環境《かんきょう》

年功序列ではなく、仕事で結果を出せたかどうかで評価が決まったり、働き方もある程度自由が認められるのは、アプリケーションエンジニアが多く仕事をするＩＴ業界ならではでしょう。服装《ふくそう》も厳しく定められていることは少なく、カジュアルな雰囲《ふんい》気《き》です。

会社によっては、働きやすいオフィスの環境《かんきょう》づくりにも力を入れています。効率化を追求するだけでなく、視覚的にも楽しめ、リラックスできるようなオフィスを用意す

ＬＩＮＥ本社オフィス内カフェ。リラックスでき、リフレッシュも　ＬＩＮＥ提供

る会社もあります。たとえば、カフェのような社員専用の食堂が用意されていたり、たくさんクッションを置いてごろ寝《ね》できるスペースを設けている会社もあります。服装《ふくそう》も、いわゆるスーツにネクタイ、制服といった決まりはなく、どんな服装《ふくそう》や髪形で出社してもいいという会社もめずらしくありません。

アプリケーションエンジニアの属するＩＴ業界は、比較的《ひかくてき》歴史が浅く、発想を大事にする気持ちが、そうしたオフィスの環境《かんきょう》づくりや雰囲気《ふんいき》にも表れているのでしょう。

プライベートタイムも有効活用

アプリケーションエンジニアは、どんどん新しい技術を取り入れていくことが要求されます。そのため、新しい技術について常に勉強していくことが必要ですが、業務時間には仕事をしなければいけないので、勉強の時間は自分で確保しなければなりません。

エンジニアとして第一線で働いている人には、仕事でプログラミングをしつつ趣味《しゅみ》でもプログラミングをしている人もいます。勉強時間を勉強ととらえず、新しいアプリや技術にふれることを楽しんでできることも、アプリケーションエンジニアとしてやっていく上で大切なポイントとなるでしょう。

男性と女性の割合

現在は、男性が8割、女性が2割程度と、男性の多い職場です。

ただし、産休・育休制度を整えた会社も多くあり、勤続年数にとらわれずに純粋《じゅんすい》にスキルをみてもらえる風土があります。フレックスタイム制などの裁量労働制を取り入れている会社も多いので、ライフステージに合わせて働きやすい業界といえるでしょう。

将来性

これからも可能性のある仕事 進化させていくのはエンジニア自身

不足しているアプリケーションエンジニア

インターネットが発達し、パソコンやスマホのアプリも毎日のように新しいものがリリースされているのが現代です。アプリを利用する人びとはますます増え、アプリケーションエンジニアの需要《じゅよう》も増大しています。しかし、専門的な技術と知識が必要で、アプリやプログラムに精通しているエンジニアは、注目度が高いわりに不足しています。日本だけでなく、世界的にもＩＴ技術者は不足しているといわれています。

アプリは、日本だけでなく世界的規模で使われているものも数多くあり、世界で通用する技術者になることも、経験を活かして自分の会社を立ち上げることも夢《ゆめ》ではありません。

将来的にも有望な仕事

21世紀の終わりには、現在ある仕事の60％がなくなるのではないかという話があります。「そんなに！」と思うかもしれませんが、何十年か前にはすべての駅の改札に、入場したことを示すため切符《きっぷ》に切り込《こ》みを入れる駅員がいました。今は自動改札の駅がほとんどです。路線バスにも車掌《しゃしょう》さんが乗っていて、キップを売ったりドアの開け閉めをしてくれましたが、今ではほとんどがワンマンバスでドアも自動で開閉できます。そのように、いろいろな仕事で自動化が進み、コンピューターの制御《せいぎょ》や技術の進歩でなくなってしまった仕事があります。今のめざましい技術の発達を見れば、確かに多くの仕事がなくなってしまうかもしれません。

しかし、今後コンピューター技術がどんどん進化していっても、すべての仕事が自動化するのかというと、そうではありません。今人間がしている仕事をコンピューターやアプリが代わりにやってくれるということは、逆に考えれば、コンピューターを使って何ができて何ができないかという基本を知っているアプリケーションエンジニアの仕事は残るということです。

十数年前にはなかった仕事ですので、これからのコンピューター技術の発達でアプリケ

情報を自在にあやつるには基礎も大切　工学院大学提供

ーションエンジニアの仕事も変化していく可能性はあります。しかし、その変化を作っていくのは、これからアプリケーションエンジニアになろうとしているみなさんの世代です。

柔軟《じゅうなん》で新しい発想や技術が求められる仕事であり、もの作りのおもしろさや製品ができた時の達成感、ユーザーからの評価などでやりがいも感じられる仕事です。

まずは、自分で簡単なプログラムを書いてみることから始めてみては、いかがでしょうか。

3章

なるにはコース

適性と心構え

論理的な思考と職人気質が大切

アプリケーションを作る「プログラム」

アプリケーションエンジニアは、専門的な知識や技術を使ってアプリを構築する専門家です。それでは、どのような人がアプリケーションエンジニアの資質があり、どのように知識や技術を身につけていけばいいのでしょうか。

アプリケーションエンジニアの必須《ひっす》スキルのひとつにプログラミングがあります。よく、コンピューターのプログラミングは、ボタンひとつ押《お》せば自動的に進んでいくようなイメージをもつ人がいます。しかし、実際はそんなに簡単なものではありません。

プログラミングをするということは、コンピューターに指示を出す指示書を書くということです。たとえば、画面にリンゴの絵を三つ表示するプログラムを書くとしましょう。

まずは、リンゴの絵をコンピューターの中の保管場所から探してくる指示が必要です。そして探してきた絵を三つ画面上に表示する指示をします。このままでは、同じ場所に三つのリンゴが重なって表示されてしまうので、三つのリンゴをどのように並《なら》べるかといった指示……そうしたさまざまなプログラミング言語による指示があって、はじめてリンゴを三つ並《なら》べて表示させることができます。

このようにプログラミングでは、必要な動きを分けて考え、動きに対応した効率的な命令を出し、ときにはそれらをうまく組み合わせていくという論理的な思考が必要です。コンピューターは機械ですので、「適当にリンゴの絵を並《なら》べて表示させて」という感覚的な指示では、実行することができません。いかに、論理的なプログラムを書くかということが重要になってきます。

どんな人が向いている？

プログラミングを学ぶ上では、よく、小学校の算数、中学校の数学、高校の物理を学んでおくとよいといわれます。これらの科目には、論理的にコンピューターに指示を出す上での、基本的な考え方が詰《つ》まっているからです。

小学校の算数で、「池のまわりをA地点から歩き出して、10分後に弟が同じA地点から反対側に歩き出した時に、二人は何分後に会いますか」というような文章問題を解いたことがあると思います。こうした問題を、中学校の数学の変数や関数で表してみるというのが、コンピューターの中で計算していく上での基礎《きそ》になります。「物理や数学は苦手だから無理かな」と思う人は、物理や数学の基本である小学校の算数まで戻《もど》って苦手意識を軽減するのがいいかもしれません。何事も急にできるようになるわけではありません。時間をかけて根気よく勉強することが大切です。

プログラムを書いて、いざ動作させようとしても動かないことがあります。それは、プログラムに書き間違《まちが》いがある時です。「;」がひとつ抜《ぬ》けていてもプログラムは動作しません。そんな時は、書いたコードのいちばん最初から順番に点検していって、ていねいにコツコツと着実に確認することが、結局はプログラムを正しく動かすためのいちばんの早道です。さらに、何が正しくて何が間違《まちが》っているのか、自分自身を客観的に評価して一つひとつ修正できるような人は、エンジニアに適性があるといえるでしょう。

経験の積み重ねが必要不可欠

プログラムの言語そのものは教えてもらうことができますが、コンピューターへの効率のよいコードの書き方というのは、説明しようにもしきれない部分がたくさんあります。

専門書もたくさん出版されていますが、対応する場面によって必要・最適なプログラムの形はほんとうにさまざまだからです。そのため、よいエンジニアになるには、たくさんの専門知識をもとにプログラムを書き、実際に動かしてみて経験するといった積み重ねが必要不可欠です。

たとえば、陶芸《とうげい》は職人の指先の力の入れ具合ひとつで、形や仕上がりが大きく変わります。完成度の高い作品を作るには、職人が試行錯誤《さくご》しながら、地道に土をこねてろくろを回すように経験を積み重ねることが必要です。プログラムもそれと同じで、地道な練習を続けることで、はじめてできるようになる職人技の世界なのです。

たくさんの端末。このすべての中で機能するアプリをめざす　スクウェア・エニックス提供

なんにでも疑問を抱《いだ》く姿勢が大事

生活をする中で、「ここがもっとこうだったらいいのに」ということを、どんな小さなことでも見つけ出していく視点も、アプリケーションエンジニアには欠かせないものです。たとえば、ふだん使っているアプリケーションの機能に対し、「どうしてここはこうなっているの?」と疑問をもったとしたら、裏返せば「そうでなければいいのに」ということです。そうした疑問を書き出していくと、それがそのままエンジニアとして実現したい自分の課題となっていきます。もし、その課題が自分の技術が足りないせいで解決できないなら、それは新しい技術を勉強したり、新たなことにチャレンジしたりするきっかけにもつながります。

人とのかかわりを恐《おそ》れずに

エンジニアというと、一人で黙々《もくもく》とプログラムを書く人を想像するかもしれません。しかし実際は、誰《だれ》かから注文を受けて、やりとりをしながら仕事をする場面が出てきます。少なくとも、まずは相手が何を考えているかを理解する力は必要になるでしょう。相手の人も、アプリケーションを作る上で必要なことを、すべてきちんと話してくれるわけではありません。そうした時に、適切な相槌《あいづち》を打ったり質問をしたりするには、コミュニケーション能力が要求されます。

どんな仕事でも、必ずそうしたことはありますが、トレーニングとして、クラスの友だち以外の人や、身近な大人である先生や保護者に、自分が何を考えているのかを伝えるところから始めてみましょう。プログラミングをする力は積み重ねが必要という話はこれまでも述べて来ましたが、コミュニケーションも最初からうまくできなくてもいいのです。何度も失敗を重ねて、時間をかけて経験していくことが大事です。

資格や道のり

情報系の知識や技術を大学や専門学校で学ぶ

専門学校や大学へ進学する

アプリケーションエンジニアをめざすには、まずは基本的な知識を身につける必要があります。そのためには、第一の進路として4年制大学の情報系の学部に進むことが考えられます。情報系の学部や学科では、技術の歴史やデータベースの構造といった情報技術を体系的に学ぶことができます。社会に出てすぐに使える知識とは性質が少し異なりますが、エンジニアとして歩んでいくさいの考え方の概念《がいねん》を習得することができます。

目まぐるしく変化する情報技術の世界では、社会人になっても自分で新しい技術の勉強をし続けることが求められます。その時に、情報技術の歴史や概念《がいねん》を学んでいると、より理解が深くなり、難しい問題が出てきたさいにも対応できるようになります。たとえば、新しいプログラミング言語ひとつをとっても、プログラミング言語の技術史を知っていると、もともとあった言語のデメリットをカバーするために新しいプログラミング言語が作られたなどの道筋が理解できて、新しい言語をどう開発に組み込《こ》んでいくかをより深く考えることができるでしょう。

一方で、専門学校では、すぐに実践《じっせん》できるようなプログラミングの技術を学ぶことができます。卒業後、即戦力《そくせんりょく》として働けることが大きなメリットです。

また、アプリを制作する会社の多くは海外が本拠地《ほんきょち》です。アメリカなどにある会社でエンジニアとして活躍《かつやく》したいのであれば、情報工学系の大学院を卒業していることが入社条件になることがあります。その場合にも、まずは4年制の大学に入ることが必要になります。将来、どういうアプリケーションエンジニアになりたいかということを考え、自分の作りたいアプリの分野にどういったスキルが必要かを調べながら考えてみるのもいいかもしれません。

資格は取ったほうがいい？

アプリケーションエンジニアとして就職するために、必ずもっていなければならない資格というものはありません。しかし、就職活動のさいに、どれだけの知識をもっているのかをわかりやすく示せるという意味では、資格取得を考えてもいいでしょう。企業《きぎょう》へのアピールポイントにもなります。

プログラマー向けの専門的な国家資格はたくさんありますが、なかでも「基本情報技術者試験」と「応用情報技術者試験」は、アプリケーションエンジニアになりたいと思う人なら、挑戦《ちょうせん》するとよい資格です。

「基本情報技術者試験」は、ＩＴエンジニアとしての基本的な知識を問う内容です。「応用情報技術者試験」はさらに応用的で高度な知識を問う内容になっています。４年制大学では、情報系大学の１～２年生で「基本情報技術者試験」を受け、３～４年生で「応用情報技術者試験」を受けるケースがあるようです。

大学などでの演習授業を経て資格取得へ　工学院大学提供

就職してから、会社からの指示で資格を取得する場合もあり、そのさいは、会社から受験料が出ることもあります。また、資格をもっていても入社時点で給与《きゅうよ》に反映されなかったり、反対に入社後に合格したさいには給与《きゅうよ》に資格手当がついたりする会社もあるので、就職前に取得するか就職してから取得するかは、必要に応じて考えるのがいいでしょう。

こうした資格のほかに、海外の企業《きぎょう》では情報工学の博士課程を修了《しゅうりょう》していることが応《おう》募《ぼ》条件になる場合もあります。海外で仕事をするさいに、ビザが取得しやすいなどのメリットもあるようです。国内に限らず、海外の企業《きぎょう》で働くことも視野に入れている場合は、自分が働きたい企業《きぎょう》でどのような人材を求めているのかを事前に調べてみましょう。

エンジニアへの道はひとつではない

情報系の学校で学ばずに、プログラミング未経験でアプリケーションエンジニアとして就職する人もいます。たとえば、文系の４年制大学卒業後に、アプリの開発会社に就職する人や、学生時代にインターンとして会社に入り、そのまま就職する人などさまざまです。

別分野を学んでからエンジニアの世界に入ることで、情報系の勉強をしてエンジニアになるのとは、また違《ちが》ったひらめきや視点が期待できるかもしれません。

ただし、まったくエンジニアとしての基礎《きそ》知識なしで仕事を始めることになるため、仕事をしながら勉強していくことが求められます。「適性と心構え」でも紹介《しょうかい》したように、エンジニアとしての専門的な知識は一朝一夕《いっちょういっせき》で身につくものではありません。なかには、社会人になってから学校に行って、プログラミングを学ぶ人もいます。

社会に出てからどのように仕事をしたいのか、よく考えてみるとよいでしょう。

英語は必須《ひっす》スキル

もともと、コンピューターの発祥《はっしょう》は英語圏《けん》であり、コンピューターの言語も英語が基礎《きそ》となっています。

また、ＩＴ技術の進歩のスピードは目覚ましく、日々新しい技術を勉強することが必要です。アプリケーションエンジニアの仕事に就業できたとしても、それで勉強は終わりにはなりません。世界から発信される、最新の技術情報を取り入れるために、英語を使う場面も多く見られます。

たとえば、iOSやAndroid OSの新しい機能が公開になった場合、その機能に合わせて、アプリのプログラムを見直す必要が出てきます。新機能がどういうものなのかをいち早く読み解くためには、ＯＳの開発元であるアメリカのApple社やGoogle社の発表をチェックする必要があります。そのさいに、日本語の翻訳《ほんやく》が出るのを待っていると、開発への着手が遅《おそ》くなってしまうので、英語の資料を読んで進めます。

また、オープンソースといって、開発中のいろいろなソフトウエアのコードをインターネット上で、誰《だれ》もが見られるように公開する仕組みがあります。それを見て、最先端《さいせんたん》のトップエンジニアがどのように開発をしているのかを勉強することもあります。世界中の人たちがかかわっているものなので、やはり基本の言語は英語です。

アプリケーションエンジニアの仕事をする上では、国外に出て活躍《かつやく》することを考えなくても、英語は必須《ひっす》スキルといえるでしょう。

養成機関について

いろいろなカリキュラムでプログラミングや語学を身につけよう

情報系の専門知識を学ぶ

アプリケーションエンジニアとして働いている人のなかには、文系の大学出身で、会社に入ってからプログラムを学んだ人もいますが、多くは情報系の4年制大学や専門学校へ進学して専門知識を学んでいます。

情報系の学部では、具体的にどのようなことを学べるのでしょうか。ここでは、東京《とうきょう》にキャンパスのある工学院《こうがくいん》大学情報学部を例にあげて、情報系の4年制大学についてご紹《しょう》介《かい》します。

大学の情報学部のカリキュラム

工学院大学情報学部は、アプリケーションエンジニアのような情報技術者の育成に努めています。1年生から2年生の前半までは、情報学部のすべての学科共通のカリキュラムで、数学やプログラムといった基礎《きそ》的《てき》な科目を学びます。また、コンピューターで利用されるCPUなどの半導体がどのように情報を処理するかなどについて実験して理解したり、パソコンの演算シミュレーションや音声信号、画像データの基礎《きそ》的《てき》な処理方法を学んだりしていきます。

2年生の後半から情報通信工学科、コンピュータ科学科、情報デザイン学科、システム数理学科に分かれます。情報通信工学科ではネットワークシステムや通信ソフトウエアなど、コンピュータ科学科では、情報セキュリティーやソフトウエア工学、情報デザイン学科ではコンピュータグラフィックや画像情報処理、システム数理学科では、人工知能やマーケティング分析《ぶんせき》などについて、より専門的な知識を学べるようになっています。

各学科に分かれてからは、それぞれ実際にプログラミングを書いてみる実習や、演習の授業が用意されています。たとえば、情報通信工学科ではネットワーク機器の設定を行ったり、情報デザイン学科では実際にインターネットコンテンツを作成するといった授業も

図表2 情報学部のカリキュラム例

	1年次	2年次（前期）
全学科共通	微分・積分演習 情報処理入門　など	情報学実験 電気回路理論　など
	プログラミングおよび演習 情報数学および演習　など	

2年次（後期）		3年次	4年次
情報通信工学科			卒業論文（PBL）
通信・ネットワーク	通信システム基礎　など	通信工学　など	
情報メディア	システムソフトウェア　など	通信情報理論　など	
スマートデバイス	電磁気学　など	電子デバイス工学　など	
コンピュータ科学科			
ソフトウェア設計	プログラミング言語基礎論　など	オブジェクト指向プログラミング　など	
コンピュータ応用	数値計算法概論　など	情報社会論　など	
セキュリティ	情報ネットワーク論　など	セキュアシステム　など	
情報デザイン学科			
人間情報	感覚・知覚心理学　など	生体計測工学　など	
コンテンツ設計	CG数学　など	コンピュータグラフィックス　など	
知識情報	画像情報処理　など	人工知能　など	
システム数理学科			
情報インフラ	情報ネットワーク概論　など	システム構築論　など	
データ科学	多変量解析　など	パターン認識　など	
経営情報	ミクロ経済学　など	デジタル経済学　など	

工学院大学情報学部カリキュラム（2020年度）より一部改変

図表3 取得に有利な優遇措置のある資格例

資格	学部・学科／取得条件	情報学部 情報通信工学科	コンピュータ科学科	情報デザイン学科	システム数理学科
社会貢献活動支援士	所定の科目を修得することにより、受験資格が得られる。	●	●	●	●
情報セキュリティ内部監査人能力認定	指定講義を受講し試験に合格、申請によって認定証交付。	●	●	●	●
無線従事者（学校認定） 第1・2・3級総合無線通信士 第1・2級海上無線通信士 第1・2級陸上無線技術士	在学中に所定の科目を修得することにより、卒業後試験科目のうち「無線工学の基礎」が免除される。（ただし、卒業後3年以内）	●			
無線従事者（長期型） 第1級陸上特殊無線技士 第3級海上特殊無線技士	長期型養成課程により、所定の科目を修得することで、在学中に無試験で免許を申請できる。	●			
電気通信主任技術者	所定の科目を修得することにより、在学中でも試験科目のうち「電気通信システム」が免除される。	●			
設備士（空気調和・衛生工学会）	卒業することにより、受験資格が得られる。	●	●	●	●

※他学科履修で、必要単位を修得した者は、優遇措置を受けられます。
工学院大学情報学部案内（2020年度）より一部改変

図表4 教員免許など資格例

学科	情報通信工学科	コンピュータ科学科	情報デザイン学科	システム数理学科
中学校教諭一種免許	数学	数学	数学	数学
高等学校教諭一種免許	数学・情報	数学・情報	数学・情報	数学・情報
学芸員	●	●	●	●

工学院大学情報学部案内（2020年度）より一部改変

あります。座学だけではなく、実際に手を動かしてみることで、より実践的《じっせんてき》に学ぶことができるのが魅力《みりょく》です。

大学で取得できる資格

大学では、特定の学科を卒業することで取得できる資格や、指定科目を受講することで受験できる資格などがあります。また、教職課程や学芸員課程を修了《しゅうりょう》することで学芸員資格を得られる大学もあります。（図表3、図表4）

海外で仕事をしたり、海外の人とのやりとりも多かったりするアプリケーションエンジニアにとっては、英語を学ぶことも必要です。在学中に英語をより深く学ぶために、TOEIC®などの資格を取ることも有益です。また、アプリケーションエンジニアに直接関係ある資格としては、情報処理技術者試験などがあります。指定科目を受講することで資格が取りやすくなるシステムはありませんが、大学での学びをベースにして在学中に資格取得をめざすと、自分のスキルの確認になり、就職活動にも活かすことができます。

挑戦《ちょうせん》してみるとよい試験

アプリケーションエンジニアとしてのスキルとして、在学中につぎのような資格に挑戦《ちょうせん》してみるとよいかもしれません。

●TOEIC®テスト

国際コミュニケーション英語能力テストです。英語によるコミュニケーションとビジネス能力を検定するための試験です。

●TOEFL®テスト

母国語が英語ではない人向けの、英語コミュニケーション能力の検定試験です。

●技術英検／技術英語能力検定

科学技術英語に特化した英語検定で、マニュアルや仕様書を作成するさいに、専門技術の説明を正しくできるかを問う試験です。

●情報処理技術者（基本情報技術者試験、応用情報技術者試験など）

情報技術者としての知識や技能を認定する試験です。基礎《きそ》から、より専門的な知識を問う試験まで各種用意されています。

●情報処理安全確保支援《しえん》士

サイバーセキュリティー分野の国家資格です。情報処理安全確保支援《しえん》士の資格があると、政府機関や企業《きぎょう》等における情報セキュリティー確保支援《しえん》をすることができます。

●デジタル技術検定

製造・設計などで使われる情報処理から制御《せいぎょ》までの、総合的なＩＴ知識を問う試験です。

●検索《けんさく》技術者検定

研究開発や、企業《きぎょう》のマーケティングやビジネスで必要とされる、信用性の高い情報を入手して活用できる専門家を育成するための試験です。

●組込《くみこ》みソフトウエア技術者

組込《くみこ》みソフトウエア（家電や車など特定用途《ようと》向けに特化、限定した機能を果たすことを目的とした機器に搭載《とうさい》されて動作するソフトウエア）技術者としての知識レベルの指針となるとともに、キャリア指標のひとつとなることを目的としている試験です。

●情報セキュリティー内部監査人

企業《きぎょう》・組織において情報セキュリティー対策を確実にするために、質の高い情報セキュリティー内部監査実務を行える能力を認定する制度です。

●知的財産管理技能検定

企業《きぎょう》などで、発明や商品デザインといった知的財産の管理や活用を行うための法律知識と実務能力を認定する試験です。

情報工学系の志望者の割合

工学院大学の場合、情報工学系の学部の在籍《ざいせき》者は8割が男性、2割が女性といった人数比率です。これは、コンピューターやプログラミングに興味をもつ人に男性が多いからかもしれません。最近では、テレワークなどの仕組みも整ってきているため、女性が妊娠《にんしん》・出産を経ても復職しやすく、続けやすい職業とも言えますし、これからますます必要とされる仕事です。将来の働き方についても考えつつ、進路を考えてみてもいいかもしれません。

大学院への進学率

情報学部では、大体学生の4分の1くらいの人たちが、大学院へ進学します。大学院では、学部よりも専門的、実践的《じっせんてき》な能力を身につけることができます。また、大学の学部と異なり、研究発表の場や学会発表の場も数多く設けられているのが特徴《とくちょう》です。

2年間の修士課程を終えたあとは、博士後期課程に進学することもできます。

ミニドキュメント 3 大学で学ぶということ

専門知識を身につけ、他者との出会いで自分をみがく

工学院大学情報学部情報通信工学科准教授《こうがくいんだいがくじょうほうがくぶじょうほうつうしんこうがくかじゅんきょうじゅ》
小林亜樹《こばやしあき》さん

なんのために勉強するかを考える

中学生や高校生は「生徒」と呼ばれますが、大学生は「学生」と呼ばれます。なぜでしょうか?「生徒」というのは、学校教育法で「中学校・高等学校で教育を受ける者」と定義されています。一方、「学生」は、「学問をしている人」という意味の言葉です。「生徒」とは異なり、みずからその分野を学ぶ、自覚して学んでいく人という意味があります。

私は情報学部情報通信工学科で准《じゅん》教授をしています。大学生になったばかりの1年生や2年生に必ず話すのは、「みなさんは学生なのですから、自分はなんのために勉強しているのかを考えてみてください」ということ。目の前のテストの点数を、効率的に取ること

だけに目が行きがちですが、それは人生の目標となり得るでしょうか。

将来、ITエンジニアになりたいという人は、今勉強しないと何が起きるかについて考えてみるといいと思います。夢《ゆめ》が叶《かな》ってITエンジニアとして就職すると、当然「エンジニアの勉強をしてきたのだから、これをやってください」と仕事を振《ふ》られます。その時に、学生時代に何も学んでいなかったとしたら、そこからはじめて技術を学ばなければいけません。それにはたくさんの時間が必要になります。学生時代にやらないのは、未来の自分に時間の借金をしていることになるのです。学生のうちに、コツコツと時間の貯金をしておくのがいいでしょう。

能動的に学び、「職人」をめざす

自転車に乗れるようになる、泳げるようになるには、練習をする必要があります。ところが、プログラミングの勉強の話になると、「練習しないで習得する近道はありませんか?」と聞かれることがあります。プログラミングの技術も、自転車や水泳と同じで練習せずにできるようになる方法はありません。どのようにプログラムのコードを書いて動かすかということは、長年の知識と経験の積み重ねで完成される職人技です。

大学にもアプリを作る授業や、演習として実際にウェブ上で動くプログラムを書く授業があります。しかし、大学の授業に出ていればそれだけでプログラムが書けるようになるかというと、実は勉強時間が足りないのです。

ほんとうにアプリケーションエンジニアをめざすのであれば、授業以外の自分の時間や夏休みなど長い時間を使って、能動的に勉強しなければいけません。

物事を体系的に学ぶチャンス

プログラミングに関する本に限らず、本を最初から最後までじっくり読んでみる経験は大切だと思います。特に、数学や技術に関する本は、物語を読むように最初から最後までじっくり読んでみましょう。

大学生になるとレポートを書く課題がたくさん出ます。実際に書いたプログラムでどんな結果が出たのかなど、実習に基づいて書く場合もありますが、ときに、本で調べてまとめる必要もあります。そんな時、本の目次で概要《がいよう》だけつかみ、知識をつまみ食いしてレポ

プログラミング実習　取材先提供

講義のようす　取材先提供

ートを書く学生がいます。

技術には、必ず由来があります。どういう経緯《けいい》でその技術ができたのかを理解することも大切です。技術の根っこにあるのが何かわかってくると「今は前提条件が変わっているから、結論も変わっているはずだ」と自分で考えられるようになります。

インターネットで知りたいキーワードを調べる時も、同じことがいえます。キーワードを検索《けんさく》した結果で出てくる情報の多くは、省略されて書かれていたり、間違《まちが》った情報だったりもします。また、情報が更新《こうしん》されておらず、結果的に間違《まちが》っているということもあるので鵜呑《うの》みにはできません。

意識的に本を1ページ目から読むことで、自分の頭の中の知識体系を整えていくことが大事です。

コミュニケーション能力も練習しだい

よく、仕事にはコミュニケーション能力が大切といわれます。では、「コミュニケーション能力」とはなんでしょうか。ひとつには、相手が何を考えているかを理解する力のことだと思います。そして、自分の考えていることを相手に伝えられることも、コミュニケーション能力でしょう。

大学1年生が自己紹介《しょうかい》をしている時のことです。「話しかけるのが下手《へた》なので、みんなから話しかけてください」と言う人がいるのです。みんなが「話しかけてください」と受け身でいたら、コミュニケーションは成り立ちません。

昔《むかし》は、今ほど情報が氾濫《はんらん》しておらず、情報を得るには本を読むか、ほかの人の話を聞く

ゼミやサークルで大学ならではの交流　取材先提供

以外にはありませんでした。文字で得た情報や耳で聞いた情報は、一旦《いったん》頭の中で整理して、自分でイメージする力が必要です。その中で、「いや、自分はこう思う」と考えたり、自分で表現したりする機会が生まれました。昨今のテレビや動画などの視覚情報は、流れ込《こ》んでくる情報を受け取るだけで、頭の中で咀嚼《そしゃく》したりイメージしたりする必要があまりありません。物事を深く考えたり、自分の気持ちを表現したりする時間は減る一方です。

コミュニケーションもプログラミングと同様で、練習しなければうまくいきません。コミュニケーション能力をみがこうと思ったら、とにかく積極的に人と話してみるのがいいでしょう。それには、学生生活はちょうどいいトレーニングの時間ともいえます。クラスの中でのつながりも、中学校や高校の時ほど固定されたものではありませんし、たくさんの人との出会いがあります。まずは、コミュニケーションの練習をするくらいの気持ちで、学生生活を始めるもいいのではないでしょうか。

勉強も、コミュニケーションも、みずから学び取ろうという気持ちが大切です。そうした気持ちを心に刻んで、より有意義な学生生活を送ってほしいと思います。

就職の実際

海外での就職もあり！しっかりとした情報収集を

新規卒業者の就職活動

アプリケーションエンジニアをめざす人の多くは、情報系の専門学校や4年制大学、大学院を卒業して就職します。ここでは、新規卒業者の場合の就職活動を見てみましょう。

就職するさいに必ず必要な資格はありません。アプリケーションエンジニアの求人情報は、多くの場合、一般的《いっぱんてき》な就職活動と同様の時期に出されます。所属する学校に求人が来ることもありますので、就職ガイダンスなどに参加してみましょう。

大学には、就職希望者のためにさまざまな支援《しえん》が用意されています。たとえば工学院大学の場合は、1、2年生の段階から理系の学生が苦手にすることの多いレポート作成や、コミュニケーション能力を高めるための議論や討論をする講座、大学の卒業生を招いた講義などがあります。進学したら一般的《いっぱんてき》な就職ガイダンス以外に、どういう支援《しえん》が用意されているのかを調べてみるとよいでしょう。

就職活動の解禁時期には、新卒者向けの求人情報サイトや就職イベントで、求人を出している企業《きぎょう》について調べてみましょう。希望する企業《きぎょう》の応募《おうぼ》条件に合っているか、会社の所在地や、給与《きゅうよ》、福利厚生、入社後にエンジニアとしての専門的な研修をどのように用意しているかなども、会社によって大きく違《ちが》います。

海外の会社を志望する場合は、働くためのビザの取得が必要になります。エンジニア向けの特別なビザがある国もあります。実際の仕事の応募《おうぼ》時期や条件なども日本とは違《ちが》いますので、早い段階での情報収集が必要です。

採用方法は会社によって違《ちが》いますが、技術職としての採用になりますので、書類選考と通常の面接のほかに、実際のプログラムを書く試験や、技術に関する筆記試験を用意しているところもあります。また、技術に特化した面接がある企業《きぎょう》もあるようです。志望する企業《きぎょう》の採用試験については、早めに傾向《けいこう》を調べ、対策を立てて臨むのがいいでしょう。

インターンシップを利用した就職

インターンシップは、実際に会社で働いたり、訪問したりする就業体験のことです。大

図表5　就職先の例

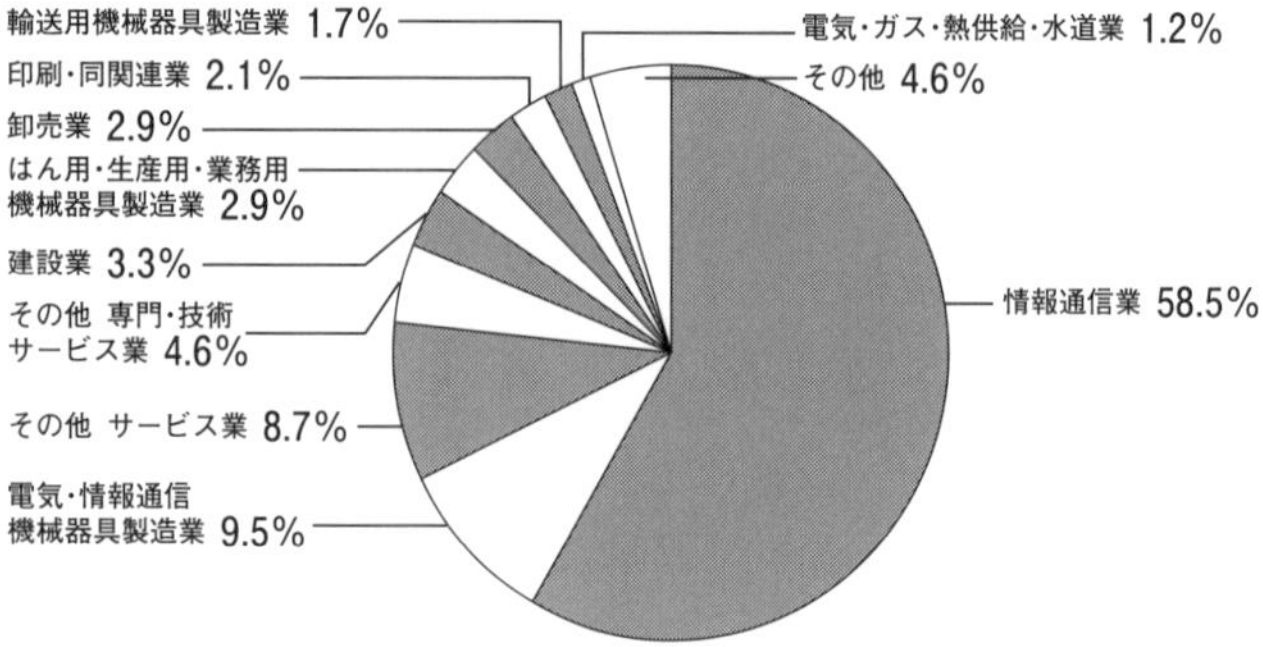

工学院大学情報学部案内（2020 年度）より

学3年生の夏休みに合わせて行う企業《きぎょう》が多いようですが、秋から冬にかけて実施《じっし》する企業《きぎょう》もあるので、調べてみましょう。在学中からインターンシップ制度を利用して企業《きぎょう》に働きかけ、適性があると認められて内定をもらう場合もあります。

ただし、インターンシップで必ず就職が約《やく》束《そく》されるわけではありません。また、就職するのに、インターンシップを受けなくてはならないわけではありません。近年インターンシップに参加した人の仕事ぶりを見て、内定を出すかどうかを決める会社も増えています。

就職に直結しなかったとしても、インターンシップを利用して実際のアプリ開発の現場を見ることで、自分に足りないものを見つめ直すこともできます。

さまざまな就業スタイル

アプリケーションエンジニアは、会社に所属していても、開発の内容によってはほとんどの業務を在宅でできるようにしている会社も少なくありません。パソコンとインターネットの環境《かんきょう》があれば、基本的にはどこでも仕事ができるのが、アプリケーションエンジニアの魅力《みりょく》でしょう。多くはありませんが、会社に所属せずに自分でアプリを作成して販売《はんばい》する人や、フリーランスのアプリケーションエンジニアとして仕事をする人もいます。

また、自分で起業してアプリの開発をするという働き方もあります。学校を卒業してすぐにフリーランスになったり、起業したりして生計を立てていくのは難しいかもしれませんが、どれも専門職であるアプリケーションエンジニアの働き方です。

就職先の裾野《すその》は広い

アプリケーションエンジニアには、スマホなどのアプリを開発する仕事もありますが、もっとも多いのは業務向けアプリの開発です。業務向けアプリとは、会社の会計管理や社員の労務管理のさい、活用されるものです。そのほかにも、官公庁や通信会社、出版社や印刷会社などにもこうしたシステムは入っているため、幅広《はばひろ》い分野の企業《きぎょう》への道が開かれています。

デジタル化が進み、どんな企業《きぎょう》でも仕事にコンピューターが使われるようになりました。食品工場でも生産管理用のプログラムを使ったり、小売店の商品在庫も専用のシステムで管理しているところが増えています。

アプリケーションエンジニアの仕事は、今後さらに広い分野で求められていきます。

フローチャート　アプリケーションエンジニア

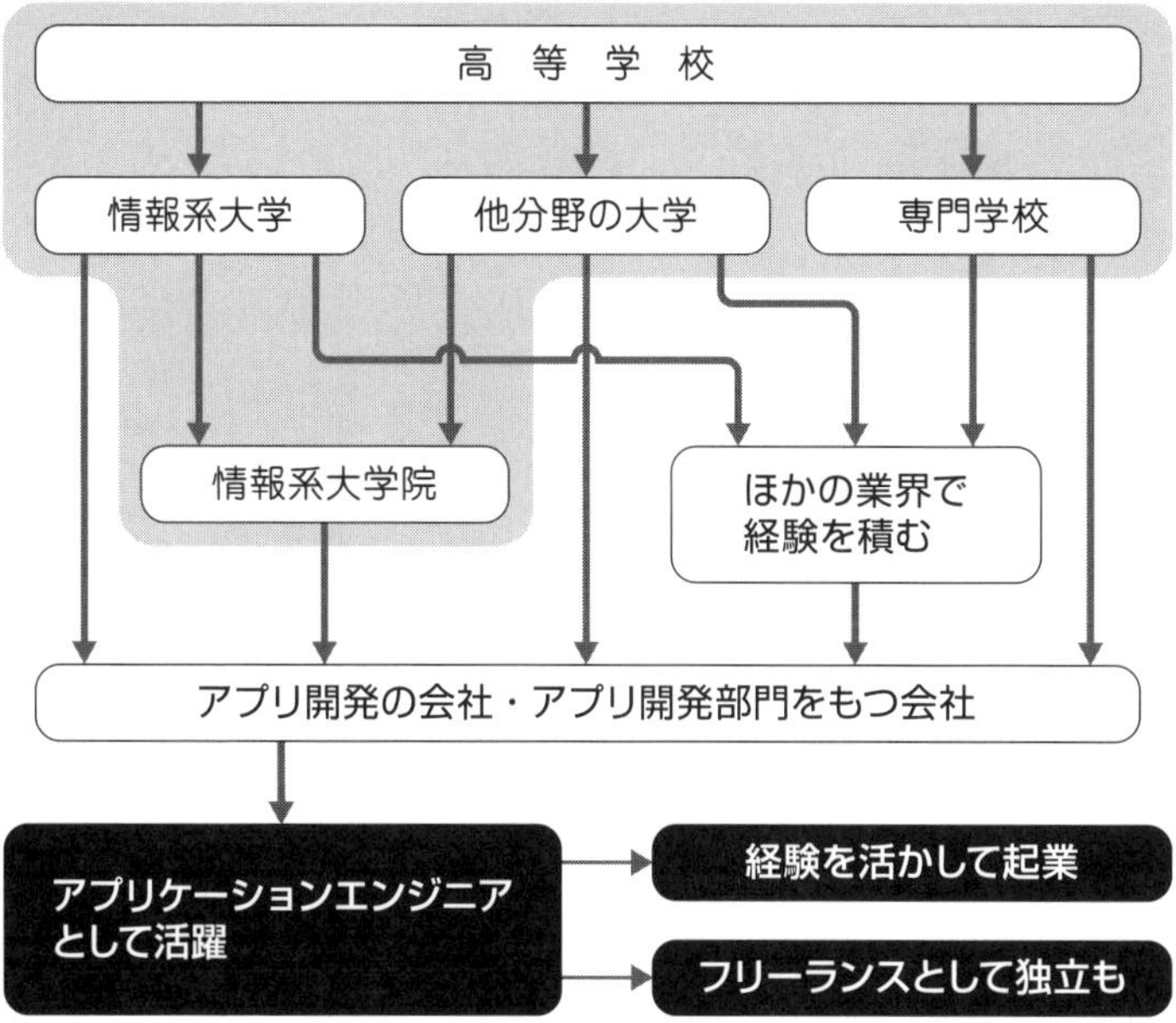

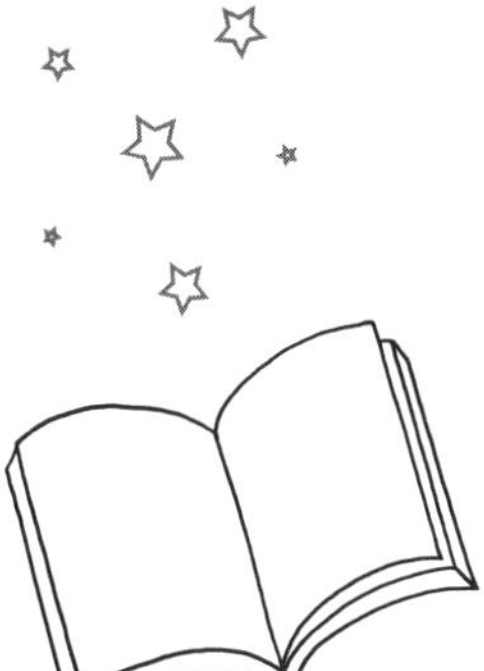

なるにはブックガイド

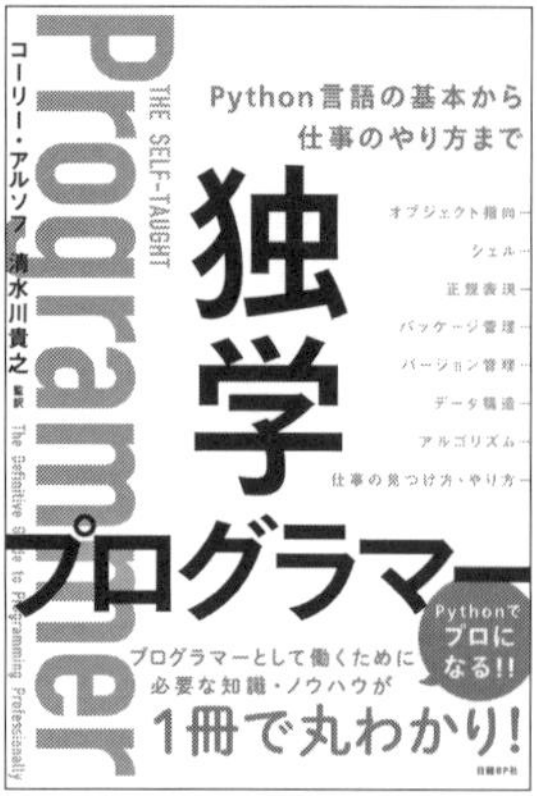

『独学プログラマー Python言語の基本から仕事のやり方まで』

コーリー・アルソフ著
清水川貴之監訳
日経BP社

プログラムがシンプルで読みやすく、教育現場でも利用されるPython言語を独学で勉強したい人のための入門書です。プログラミングの基本だけでなく、プログラマーに必要なスキルについても書かれています。

『改訂3版　これからはじめるプログラミング　基礎の基礎』

谷尻かおり著
谷尻豊寿監修
技術評論社

パソコンは苦手でも、プログラミングには興味がある人におすすめの一冊です。コンピューターとは何かというところから、プログラミングについてわかりやすく解説しています。

『はじめてのプログラミング』（学研まんが入門シリーズ）

橋爪香織、たきりょうこ著
阿部和広監修
学研プラス

プログラミングとは何かということを、ゲーム作りに挑戦する主人公の物語をもとにマンガで読むことができます。プログラミングの基本的な考え方だけでなく、インターネットを利用する上でのマナーについてもふれています。

『プログラムはこうして作られる　プログラマの頭の中をのぞいてみよう』

平山 尚著
秀和システム

プログラムをこれから始める人に読んでほしい一冊。ゲーム会社である「セガ」のプログラマーが書いています。プログラムを書く時の根本的な考え方について、実際に簡単なゲームのプログラムを書きながら学ぶことができます。

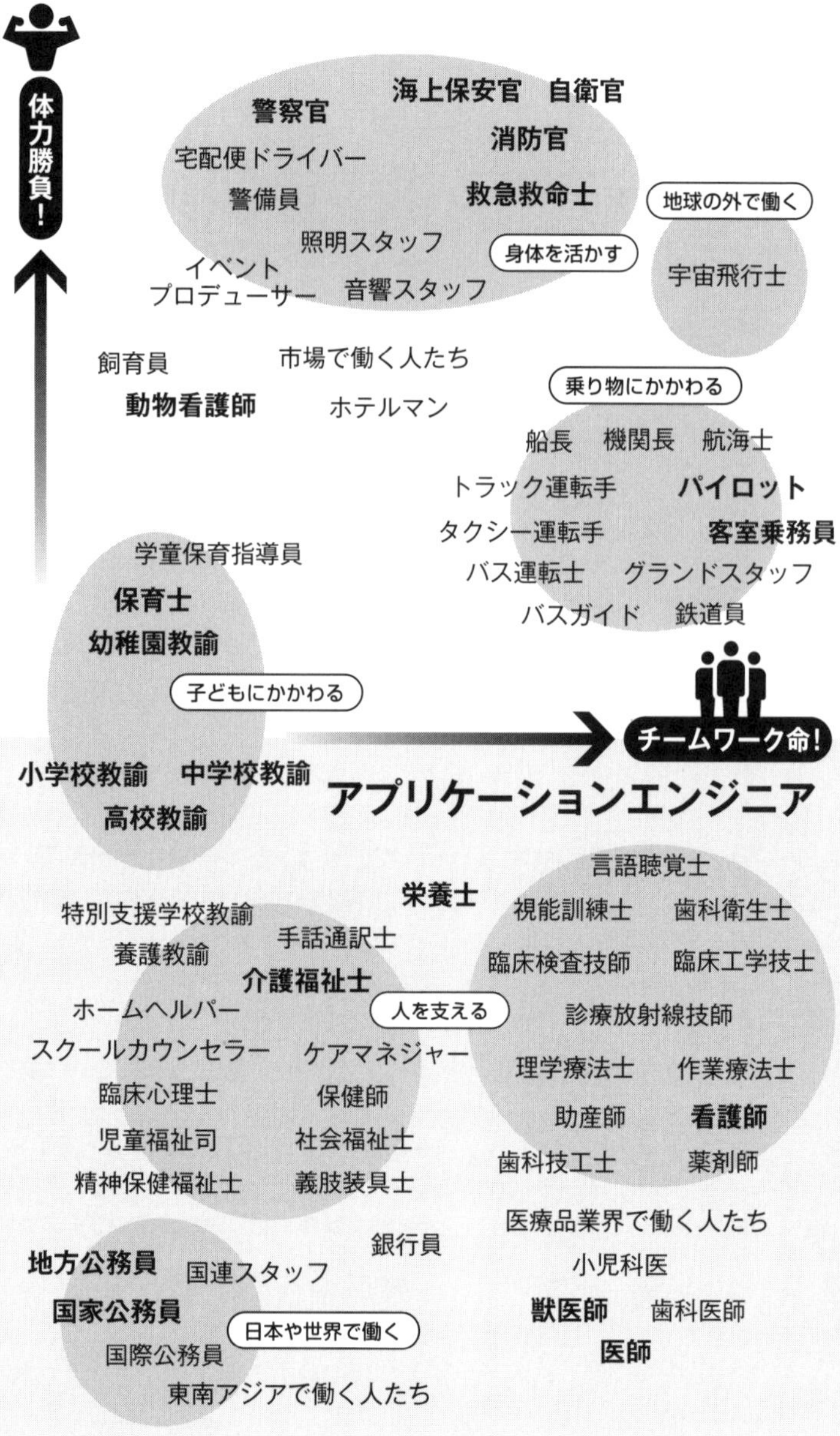

体力勝負!
チームワーク命!
身体を活かす
警察官
海上保安官
自衛官
消防官
宅配便ドライバー
警備員
救急救命士
照明スタッフ
イベントプロデューサー
音響スタッフ
地球の外で働く
宇宙飛行士
飼育員
市場で働く人たち
動物看護師
ホテルマン
乗り物にかかわる
船長
機関長
航海士
トラック運転手
パイロット
タクシー運転手
客室乗務員
バス運転士
グランドスタッフ
バスガイド
鉄道員
子どもにかかわる
学童保育指導員
保育士
幼稚園教諭
小学校教諭
中学校教諭
高校教諭
アプリケーションエンジニア
人を支える
栄養士
特別支援学校教諭
手話通訳士
養護教諭
介護福祉士
ホームヘルパー
スクールカウンセラー
ケアマネジャー
臨床心理士
保健師
児童福祉司
社会福祉士
精神保健福祉士
義肢装具士
言語聴覚士
視能訓練士
歯科衛生士
臨床検査技師
臨床工学技士
診療放射線技師
理学療法士
作業療法士
助産師
看護師
歯科技工士
薬剤師
医療品業界で働く人たち
小児科医
獣医師
歯科医師
医師
日本や世界で働く
銀行員
地方公務員
国連スタッフ
国家公務員
国際公務員
東南アジアで働く人たち

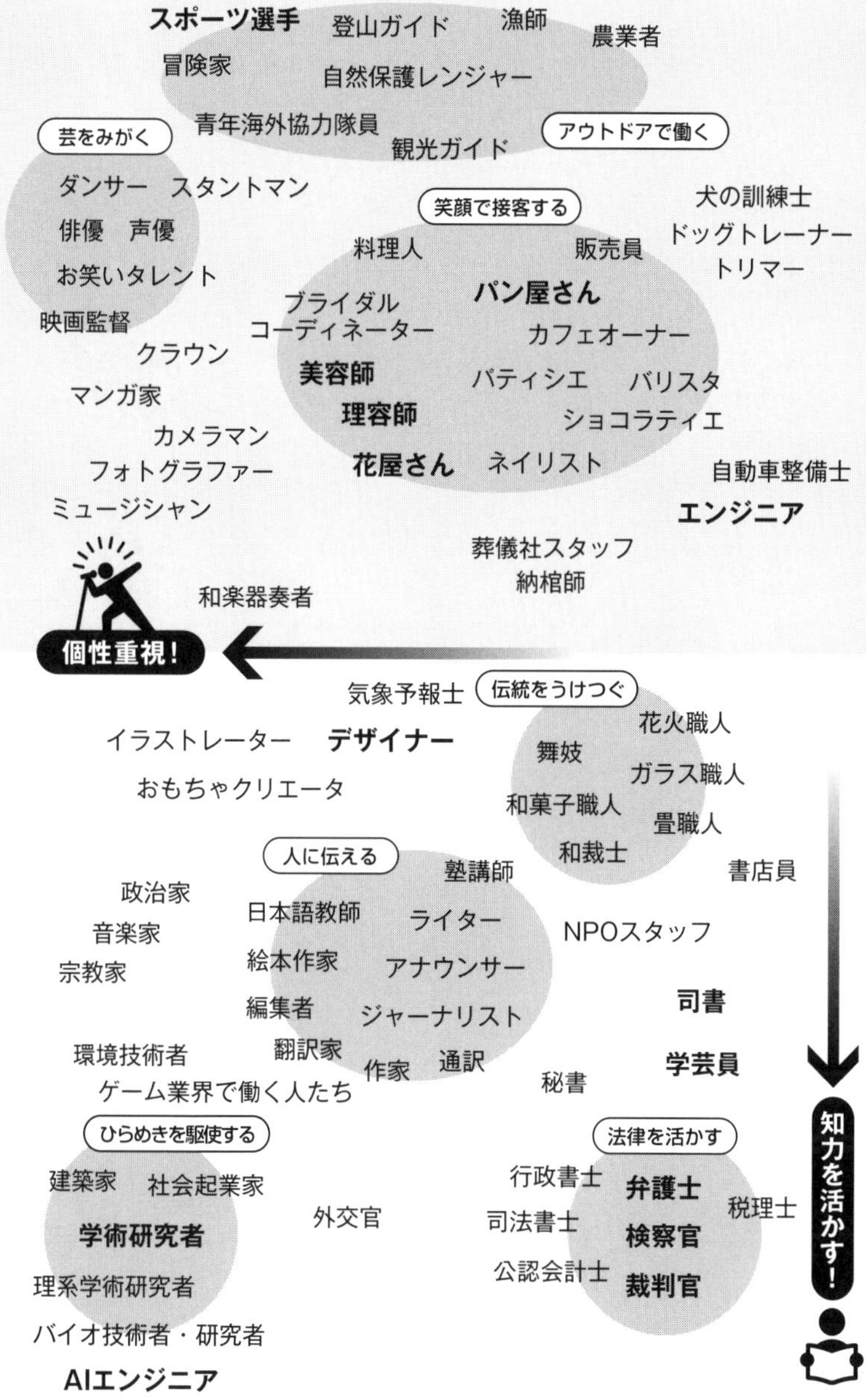
スポーツ選手
登山ガイド
漁師
農業者
冒険家
自然保護レンジャー
青年海外協力隊員
観光ガイド
アウトドアで働く
芸をみがく
ダンサー
スタントマン
俳優
声優
お笑いタレント
映画監督
クラウン
マンガ家
カメラマン
フォトグラファー
ミュージシャン
和楽器奏者
笑顔で接客する
料理人
販売員
パン屋さん
ブライダル
コーディネーター
カフェオーナー
美容師
パティシエ
バリスタ
理容師
ショコラティエ
花屋さん
ネイリスト
犬の訓練士
ドッグトレーナー
トリマー
自動車整備士
エンジニア
葬儀社スタッフ
納棺師
個性重視!
気象予報士
伝統をうけつぐ
花火職人
舞妓
ガラス職人
和菓子職人
畳職人
和裁士
イラストレーター
デザイナー
おもちゃクリエータ
人に伝える
塾講師
書店員
政治家
日本語教師
ライター
NPOスタッフ
音楽家
絵本作家
アナウンサー
宗教家
編集者
ジャーナリスト
司書
環境技術者
翻訳家
通訳
作家
学芸員
秘書
ゲーム業界で働く人たち
ひらめきを駆使する
建築家
社会起業家
学術研究者
理系学術研究者
バイオ技術者・研究者
AIエンジニア
外交官
法律を活かす
行政書士
弁護士
税理士
司法書士
検察官
公認会計士
裁判官
知力を活かす!

[著者紹介]

小杉眞紀（こすぎ まき）

成城大学文芸学部卒業。大学卒業後、編集アシスタントを経てフリーランスに。主に、教育関係の雑誌や書籍の企画・編集およびライターとして活躍中。

吉田真奈（よしだ まな）

成城大学社会イノベーション学部卒業。電子書籍の取次会社を経て編集プロダクションに勤務。現在はフリーランスのライター・編集者として活躍中。

山田幸彦（やまだ ゆきひこ）

和光大学表現学部卒業。大学在学中から、ライターとして活動を始める。現在は、雑誌にゲームをはじめ、特撮、アニメなどの取材記事を執筆している。

アプリケーションエンジニアになるには

2021年6月20日　初版第1刷発行

著　者　小杉眞紀　吉田真奈　山田幸彦
発行者　廣嶋武人
発行所　株式会社ぺりかん社
〒113-0033　東京都文京区本郷1-28-36
TEL 03-3814-8515（営業）
03-3814-8732（編集）
http://www.perikansha.co.jp/
印刷所　大盛印刷株式会社
製本所　鶴亀製本株式会社

ISBN978-4-8315-1592-6　Printed in Japan

*「なるにはBOOKS」シリーズは重版の際、最新の情報をもとに、データを更新しています。

【なるにはBOOKS】

税別価格 1170円〜1600円